Mais Além da Escuridão

Livro 3 - Insurgência

Catia Mourão e Johnatan Souza

1ª edição
Rio de Janeiro – Brasil

ISBN 978-85-68925-13-3

Produção – Ler Editorial
Capa – Renato Klisman (fb.com/designrk)
Revisão – Vanuza Rúbia F. Freitas
Diagramação – Catia Mourão

Catalogação na Publicação (CIP)

M931 - Mourão, Catia. Ler Editorial. 2015

Insurgência: livro 3 série Mais Além da Escuridão
1 ed. Rio de Janeiro
ISBN 978-85-68925-13-3
1. Ficção fantástica 2. Literatura brasileira
I. Título. II. Série.
CDD 809.915 CDU 821.134.3(81)-3
Catia Mourão e Johnatan Souza

Índices para catálogo sistemático:
1. Ficção: Literatura fantástica 809.915

Direitos de edição:

Ler
EDITORIAL

Dedicatória

Para nossas famílias, por servirem de apoio nos momentos difíceis, em que as pedras do caminho se tornavam grandes demais para serem removidas sem auxílio.

Para todos os blogueiros e críticos literários, por receberem tão bem nossa obra, indo muito além do que poderíamos esperar. Por nos mostrarem que a estrada é longa, mas o caminho escolhido não poderia ser outro.

E em especial, para todos os leitores e fãs, que nos alimentam de carinho com suas mensagens e mimos.

Vocês são o verdadeiro motivo de tudo acontecer. São nossa força e inspiração para seguir adiante.

Muito Obrigado!

Índice

Nota de esclarecimento

REM é a fase do sono na qual ocorrem os sonhos mais vívidos. Durante esta fase, os olhos movem-se rapidamente e a atividade cerebral é similar àquela que se passa nas horas em que estamos acordados.

A *Paralisia do Sono* se caracteriza por uma paralisia temporária do corpo, imediatamente após o despertar ou instantes antes de adormecer.

Fisiologicamente, ela está relacionada a uma parte natural do sono, a qual é conhecida como *atonia REM*. Ela ocorre quando o cérebro acorda de um estado REM, mas o corpo permanece paralisado, deixando a pessoa temporariamente incapaz de mover nenhuma parte do corpo, nem mesmo falar, podendo apesar exercer controle sobre a respiração. É como se o corpo persistisse em continuar dormindo.

Com frequência, a paralisia do sono é vista pela pessoa afligida como nada mais do que um sonho, o que explica os relatos de pessoas que se veem deitadas na cama e incapazes de se movimentar.

Além disso, o estado pode ser acompanhado por terríveis alucinações, que se mesclam a objetos reais existentes no ambiente, o que colabora para a sensação de que tais alucinações também são reais.

Como a consciência durante esses eventos não é plena, torna-se impossível determinar exatamente o que é real e o que não é.

Algumas pessoas relatam visões e sons estranhos, outras uma sensação de peso no peito, como se alguém ou algum objeto pesado estivesse pressionando-o. A pessoa pode imaginar que tem alguém a encarando ou ver seres não existentes. E o pior de tudo é que você pode imaginar estar sendo atacado, como em um sonho, mas você sabe que não está mais dormindo. Por estar paralisado, não pode se defender ou sequer gritar.

Resumindo, se você tiver alucinações de que está sendo atacado por algo ou alguém, será real. Se seu corpo for perfurado por uma faca, seu cérebro vai reproduzir a dor de ser esfaqueado. Se levar um tiro, sentirá seu corpo reagir como se o tiro fosse real, e se um ser sobrenatural arrancar seu braço, você vai sentir com a mesma intensidade de quem realmente perde um braço.

Estes sintomas podem durar de alguns poucos segundos até vários minutos e são considerados assustadores.

Agora, imagine alguém utilizando desse artifício natural para entrar em sua mente, implantando imagens e situações a sua revelia, criando ilusões e induzindo reações físicas, até subjugar sua vontade, para o bem ou para mal.

Assim agem os caídos.

Profecia da última geração

Quando o dia virar noite e a última lua se tornar como sangue, e o sol escurecer no céu, eis que é chegada a hora.

O mundo se tornará frio e a escuridão se erguerá, e grandes tormentas assolarão, antes que a Mãe Sombria ressurja.

Uma grande batalha acontecerá.

As forças do inferno se despejarão na terra e com elas, o poderoso se tornará escravo do pai da escuridão.

Esse tempo será marcado pelos que caminham ao sol e pelos filhos sem clã.

O sangue se tornará tão raro quanto diamante.

E então, nascerá uma mulher. A última filha. E nela estará selado o destino de todos.

Ela não será conhecida, exceto pela marca da lua. Mas nela estará a esperança.

Por ela, o príncipe se levantará e o anjo morrerá.

Guardem os sinais!

A escuridão que se ergue, a marca da lua, o anjo que morre e os filhos sem clã.

O dia está próximo!

O dia do brilho negro do sol e do brilho de sangue da lua!

Sinais previstos pela astronomia
(dados reais)

1ª Lua de Sangue (15 de abril de 2014)
Teve início a "Tétrade", período em que quatro eclipses lunares consecutivos são todos eclipses totais.
Para os místicos, esse é o prenúncio de uma guerra sangrenta.
2ª Lua de Sangue (08 de outubro de 2014)
3ª Lua de Sangue (04 de abril de 2015)

Setembro - O mês fatídico

Eclipse solar (13 de setembro de 2015)
4ª Lua de Sangue (28 de setembro de 2015)

Prólogo

Existe um demônio dentro de cada um de nós. Sempre procurei controlar o meu e durante algum tempo consegui.

Mas ultimamente, ele anda voraz e às vezes, insiste em assumir as rédeas, o que acaba tornando a escuridão ainda mais densa.

Aqueles que amo não estarão seguros, até que ele sacie sua sede e volte para o inferno de sombras que habita.

Se você é como eu, deve estar se perguntando: não seria mais fácil eliminá-lo e acabar de vez com a ameaça?

E eu te respondo: mate um demônio hoje e encare dois amanhã.

Então, se quiser evitar que essa luta insana e sem perspectiva, perdure por toda a eternidade, a melhor solução é aprisioná-lo.

Mas, não se engane: demônios sempre voltam para atormentar as almas daqueles que caminham na escuridão.

No volume anterior...

— Carlie é responsabilidade minha. Eu resolvo.

— Não mais! Você me envolveu nisso quando pediu aprovação do conselho, tornando-a oficialmente um membro de nossa família. Agora, querendo ou não, ela é responsabilidade minha também. O que você acha que aqueles abutres do conselho vão pensar quando souberem de tudo isso? Na certa vão achar que não tenho mais condições de comandar meu próprio clã. Quem sabe até começarão a ter ideias sobre uma "sucessão" forçada em nossa organização.

— Então, sua verdadeira preocupação não é com a segurança de Carlie, mas com uma possível disputa envolvendo os negócios da família.

— Mais uma vez está sendo irresponsável, Donovan. Nos últimos meses vocês chamaram muito atenção. Suas extravagâncias para agradar essa mulher parecem não ter limites. Será que já parou para pensar no que pode acontecer se o caçador a estiver observando?

— Ela não está pronta para lidar com isso sozinha — Donovan respondeu, deixando transparecer na voz toda sua preocupação.

— Vou mandar os rapazes atrás dela. Eles vão encontrá-la e trazê-la de volta, antes que aconteça algo pior.

— Não precisa se dar ao trabalho.

Surpresos, Yuri e Donovan se viraram para olhar a mulher que os interrompera, e que fora capaz de se aproximar tanto sem que nenhum dos dois percebesse sua presença.

— Carlie!

— Você me deve muitas explicações, Donovan Hunter.

Capítulo 1
O confronto

A expressão de Donovan só não refletia mais espanto que o rosto de Yuri.

Percebi que tinha uma pequena, frágil e momentânea vantagem, gerada pela surpresa de minha chegada repentina. Precisava aproveitar a oportunidade para pôr um ponto final naquele jogo de gato e rato no qual estávamos envolvidos. E dessa vez, teria que ser definitivo.

Precisava ir direto ao ponto, antes que Donovan tivesse chance de usar seu domínio. Ou pior, o próprio Yuri decidisse assumir o controle da situação.

— Carlie, minha princesa! — Donovan falou se aproximando — Você está bem? Onde esteve, amor? Estava quase enlouquecendo sem notícias suas.

— Agora não é momento para isso, Donovan — interrompi antes que ele tivesse a chance de prosseguir com aquilo. — Há muitos pontos que precisam ser esclarecidos e você é o único que pode dar as explicações que necessito. O resto pode esperar.

Ao notar minha determinação, Yuri imediatamente se recompôs, voltando a ser arrogante e astucioso como sempre.

— Parece que vocês precisam ter uma boa conversa de casal. Boa sorte meu filho! Você vai precisar.

O tom sério com que proferiu aquelas palavras não disfarçava a satisfação que ele sentia, em perceber que minha relação com Donovan tinha ido definitivamente por água abaixo. E a maneira como se dispôs a sair tão prontamente, dando-nos privacidade para conversar, só deixava isso ainda mais claro. Atitude que não passou despercebida a Donovan também.

Mas naquele momento, nem mesmo as tramas ardilosas de Yuri me preocupavam. A única coisa que eu queria era esclarecer os pontos ainda confusos sobre minha conversão e sobre a morte de meus pais.

— Carlie, você precisa se acalmar.

— Acalmar? Donovan, você sabe perfeitamente que por todos esses anos eu vivi única e exclusivamente por você. Eu confiava em você — respondi exasperada. — Sempre te idolatrei. Permiti que substituísse minha família. Você era tudo que eu tinha... E agora, descubro que nada disso era real, que foi tudo premeditado.

— As coisas não são tão simples assim como você está imaginando.

— Ah, não são? Para mim é muito simples. Você matou meus pais, Donovan! E agora eu sei que foi só para satisfazer um capricho seu — retruquei, despejando toda minha decepção na cara dele — Mentiu pra mim por todo esse tempo. Como pôde fazer isso comigo?

— Não fale assim, como se o que eu sinto por você não valesse nada. Eu te amo, princesa! Sei que cometi erros graves, mas essa é minha natureza e não vou me desculpar por ser o que sou. Fiz o que fiz porque naquele momento eu já amava você, ainda que não tivesse consciência disso. Tinha esperança que com o tempo você aprendesse a viver ao meu lado, entendesse que essa era a única maneira pela qual eu poderia tê-la e pudesse me perdoar.

— Como pode chamar isso de amor?

— Você precisa me dar uma chance para explicar. Não me sentencie sem conhecer o outro lado da verdade.

Por mais que quisesse condená-lo, eu sabia que devia essa oportunidade a ele. Se não fosse por nossa relação, seria ao menos por todas as décadas de afeição que compartilhamos.

A verdade é que, bem no íntimo, eu podia prever os argumentos que ele usaria e sabia que em um ponto ele tinha razão: não podia ser condenado por ser vítima de sua própria natureza. Nenhum de nós podia. E eu, melhor do que ninguém, conhecia as profundas transformações pelas quais ele havia passado, desde que entrei em sua vida.

— Será que podemos ao menos conversar em um ambiente mais adequado? — ele sugeriu, percebendo minha hesitação.

— Não posso imaginar um ambiente mais adequado do que nossa própria casa.

— Calma! Só estou sugerindo que passemos a sala de leitura. Sua sala, aliás. Podemos nos acomodar no sofá e ter uma conversa civilizada. Seria mais apropriado, não acha?

— Desde que você não tente usar de seu domínio para resolver a situação.

— Seria bem mais simples — ele respondeu, olhando direto em meus olhos —, mas não esperei um século para tê-la ao meu lado, para usar desse artifício agora. Você sabe perfeitamente que nunca fiz isso com você. A não ser em casos extremos, para protegê-la. E você sempre era informada quando isso acontecia.

Sem argumentos e vendo minha determinação fraquejar, perante a sutil e arquitetada manipulação de Donovan, concordei com sua sugestão.

Ocupei o sofá da sala de leitura, que antes era um de meus locais preferidos da casa. Sentada, com os braços ao redor das pernas dobradas em cima do sofá, observei enquanto ele caminhava de volta até o bar, na sala anexa, retornando em seguida com um copo de uísque para si e uma taça de vinho na outra mão.

— Achei que você gostaria de beber alguma coisa.

Aceitei a taça sem responder, apenas provando do líquido encorpado, de tom vermelho escuro, antes de repousá-la na pequena mesa de apoio à minha frente, e esperei.

— Carlie, você precisa levar em conta que eram outros tempos. Minha vida não tinha muito sentido e, sinceramente, naquela época eu achava que não precisava ter.

De pé, no meio da sala, com o olhar preso em algum ponto imaginário além de mim, Donovan fez uma pausa, bebendo um gole do uísque em seu copo antes de prosseguir.

— Vivia para me alimentar e desfrutar das coisas que todo homem gostaria, só que melhor. Minha vantagem era ser um vampiro e estar à frente da Among Us. O futuro líder do Clã de meu pai, primeiro na linha de sucessão — ele completou, voltando a olhar em minha direção. — Não era bem a vida que eu queria. Sabe como é. Sempre as mesmas coisas, nunca nada novo... E aos poucos, fui me entediando.

— Porque nunca conversamos sobre isso?

Ele me dirigiu um olhar paciente, como quem aguarda que uma criança perceba seu erro. Então, me dei conta do quanto minha pergunta foi tola.

Era mais do que óbvio que se naquela época eu soubesse a verdade, teria me afastado dele sem sequer dar a chance de uma conversa.

— Quer que eu prossiga ou não?

— Por favor! — respondi.

— Nunca me dei muito bem com Yuri. A rivalidade existente entre nós já se fazia presente naqueles tempos e a curiosidade sobre minha mãe tornava tudo mais difícil. Ele sempre se negava a dar informações sobre ela, até que em uma de nossas conversas ele se alterou e tivemos uma briga feia. Claro que eu não tinha muitas chances contra Yuri, mas sabia muito bem como fazê-lo perder o controle e naquela noite, depois da discussão, as últimas palavras que ouvi dele foram: *"nunca saberá nada sobre ela, porque eu a matei quando você nasceu."*

— Por que decidiu me contar essas coisas agora? Vivemos tanto tempo juntos e você nunca se preocupou em revelar nada sobre seu passado.

— Você queria saber a verdade, não é? Estou te dando a *minha* verdade. Toda ela. Vai querer ouvir o resto?

Era evidente que eu queria ouvir o resto. Sempre desejei conhecer a história de Donovan, saber como vivia antes que eu entrasse em sua vida. E agora, depois de tudo que ele havia dito, eu simplesmente não poderia sair dali sem chegar ao final.

— Gostaria de entender onde eu entro nisso tudo.

— Você já vai entender, princesa! — Ele fez uma pausa, voltando à sala para se servir de outra dose de uísque. Quando retornou, prosseguiu com sua história.

— Onde eu estava? Ah! Sim. Yuri. Depois disso, as coisas entre nós só pioraram e foi então que surgiu o Donovan com o qual seus pais tiveram a infelicidade de cruzar.

Como não fiz nenhum comentário, ele prosseguiu com o relato.

— Aos poucos, comecei a ser negligente com a organização. Era displicente com meus comandados e mais ainda com as responsabilidades que exigiam minha atenção. Dedicava minhas noites a caçar e não me importava se a vítima era ou não inocente, desde que minha sede fosse saciada e meus desejos satisfeitos. Deixava rastros, que ameaçavam comprometer a todos, e claro, cabia aos soldados da Among Us limparem minha bagunça.

— Sinceramente? Acho que você está supervalorizando a situação para justificar seu erro.

— Acredite, princesa! A realidade era muito pior. Estou suavizando os fatos, porque se ainda não percebeu, não quero perdê-la.

— Conte sobre a noite em que meus pais morreram.

— Você já sabe o que aconteceu — ele respondeu relutante. — Não precisa dos detalhes, Carlie.

— Não Don. Eu preciso ouvir de você. Preciso saber o que realmente aconteceu naquela noite e porque você me escolheu.

— Eu não colocaria as coisas nesses termos. Acho que foi o destino que escolheu você pra mim.

— Por favor, Donovan! Não pode me negar isso. Eu tenho o direito de saber a verdade sobre a morte de meus pais. Já chegamos até aqui. Não pode dar para trás agora e me deixar com essas lembranças cheias de lacunas. Tem que preenchê-las ou juro que sairei por essa porta e você nunca mais saberá de mim.

Do sofrimento emergem as almas mais fortes.
As personalidades mais marcantes estão cobertas de cicatrizes.

Gibran K. Gibran - filósofo

Capítulo 2
A verdade

Havíamos chegado ao ponto que propositalmente eu vinha tentando evitar durante toda a conversa. Mas Carlie não me deixaria escapar e eu tinha plena consciência de que estava prestes a revelar fatos que trariam muita dor para ela.

Precisava tomar uma decisão e rápido, ou iria perdê-la para sempre. Mas usar compulsão estava fora de questão. Então, decidi contar a verdade.

— Naquela noite eu estava fora de mim. Tinha bebido demais e perambulava pelas ruas, procurando alguém em quem pudesse saciar a sede que me consumia. Quando o carro de seu pai dobrou a esquina, a luz do farol incomodou meus olhos. Foi então que decidi que as pessoas no interior do veículo seriam minhas próximas vítimas — fiz uma pausa, estudando a expressão de Carlie. — Gostaria de poder dizer que tive outro motivo. Alguma coisa menos cruel. Mas... não seria verdade.

Eu sabia que minhas palavras a dilaceravam por dentro. Ela estava tão perplexa que não reagiu, a não ser por uma lágrima solitária que varreu sua face, sem que fizesse nenhuma tentativa para deter sua trajetória.

Aquilo mudaria tudo entre nós. Carlie nunca mais me veria como antes, mas agora era tarde demais para recuar. Eu precisava ir até o fim ou ela jamais me perdoaria.

— Deitei no chão e esperei, até que se aproximassem o suficiente e quando o carro chegou bem perto, ataquei. Virei o veículo e corri para o interior. Tudo aconteceu muito rápido. Seu pai e sua mãe, apesar dos ferimentos, ainda estavam vivos. Eu podia ouvir o coração de ambos bombeando o sangue. Sem perder tempo, recolhi minhas vítimas e me alimentei. Foi então que a vi.

Estreitei os olhos, como se tentasse recuperar a imagem distante no passado.

— Você era pouco mais que uma menina. A mais linda que já havia visto em toda a minha vida. Fiquei enfeitiçado. Simplesmente não sabia o que fazer. Foi como se, de repente, uma imensa solidão se abatesse sobre mim, evidenciando o vazio que era minha existência. Percebi que não poderia matá-la, ao contrário, tudo que eu queria naquele momento era te proteger, princesa. Mas você estava muito assustada. Desvencilhou-se de mim e saiu correndo pela rua deserta. Eu não podia deixar que você desaparecesse para sempre ou que me denunciasse, expondo minha natureza. Então, fiz a única coisa que poderia fazer.

— Me abraçou — ela balbuciou com voz entrecortada.

— Não foi fácil. Você era doce e tão suave... — ele continuou, praticamente sussurrando as palavras — Tive medo de não conseguir parar e quando senti seu corpo estremecer nos meus braços, achei que ia te perder. Percebi que seu coração aos poucos diminuía os batimentos e sabia que logo você morreria, e eu não teria a chance de torná-la minha. Foi esse pensamento que me fez recobrar o controle no último minuto e fazer você se alimentar do meu sangue. Quando despertou, me certifiquei de que não se lembraria de nada. Recriei a cena do acidente em sua mente, convoquei Elise para que me ajudasse a cuidar de você e o resto da história você já sabe.

— Talvez, devesse ter me deixado lá para morrer, como fez com meus pais.

— Não diga isso! Nunca mais diga isso, princesa!

— Mas é exatamente assim que me sinto — ela respondeu, já não podendo conter as lágrimas, que agora rolavam soltas acompanhadas de soluços.

Vê-la naquele estado era insuportável. Todo esforço que fiz durante o último século para evitar que isso acontecesse fora em vão e agora, ela parecia ainda mais indefesa do que no dia em que a converti.

Aproximei-me devagar, envolvendo-a pelos ombros, esperando ser rechaçado como um monstro, o que provavelmente eu era para ela naquele momento. Mas para minha surpresa, Carlie não fez nenhum movimento na tentativa de me afastar. Apenas ergueu os olhos em direção aos meus, por um breve instante e foi o suficiente para que eu pudesse compartilhar de toda dor que ela sentia.

— Princesa! Você foi a melhor coisa que poderia acontecer em minha vida — falei suavemente em seu ouvido, na esperança que minhas palavras pudessem aliviar ao menos uma parte de seu sofrimento. — Mesmo que não consiga aceitar isso agora, o fato é que você estava destinada a mim, assim como eu a você. Você me transformou no que sou hoje. Trouxe sentido a minha existência e me fez querer ser melhor do que jamais fui. Em nenhuma circunstância eu faria algo para feri-la intencionalmente e você sabe disso.

Aguardei por alguns segundos, a ansiedade corroendo minhas entranhas, mas nada aconteceu. Ela simplesmente não reagia. E, não fosse pelos soluços que acompanhavam as lágrimas, que rolavam em um fluxo constante por seu rosto, nenhum som podia ser ouvido.

— Carlie, diga alguma coisa. Bata em mim. Arranque meu coração se quiser. Prometo que não vou tentar impedi-la. Mas, por favor, pare de chorar.

Então, ela corrigiu a postura e se afastou de meu abraço, como se estivesse impulsionada por alguma força mágica, proveniente sabe-se lá de onde.

— Eu ouvi tudo que você tinha a dizer, Don. Agora é minha vez de falar. Por acaso, faz alguma ideia de como me senti, quando descobri que foi *você* o responsável por minha conversão e pela morte de meus pais? Imagina como foi receber essa notícia através de Elise? Será que você consegue se colocar em meu lugar, só por um minuto? Ou já perdeu essa capacidade também?

— Princesa...

— Não, Donovan — ela me interrompeu rispidamente — Não sou nenhuma tola. Sei que estarei ligada para sempre a você. E agora, depois do que vivemos nos últimos meses...

— O casamento, você quer dizer?

— É exatamente esse o ponto. Depois disso, sei que nossos laços de sangue dificilmente poderão ser rompidos.

— Por que não diz logo onde pretende chegar?

O silêncio foi a única resposta.

— Carlie, você sabe que por nossas leis será sempre minha mulher. Não é como se fossemos humanos e simplesmente assinássemos algum contrato. Não há como reverter o que existe entre nós.

— Eu sei — ela fez uma pausa —, a não ser que você me libere.

— Está sugerindo que eu retire minha marca e a libere de nosso compromisso?

— É o mais sensato a fazer.

Então, era isso. Ela queria que eu retirasse a marca de seu sangue. A marca que a tornava minha. Queria ser liberada para seguir com sua vida sem minha interferência. Quem sabe, até recomeçar nos braços de outro.

— Esqueça! Isso nunca vai acontecer.

— Mas, Donovan...

— Sem mais! Você é minha e não vou te liberar.

— Está nos condenando a uma eternidade infeliz. E tudo isso para que? Só para que seu orgulho prevaleça?

— Não, Carlie! Estou fazendo isso porque te amo e quero garantir que teremos uma oportunidade de reverter essa situação no futuro — esbravejei. — Durante um século esperei que você viesse até mim, que me aceitasse espontaneamente. Posso esperar mais um se for preciso, mas você voltará.

— Sabe que isso não vai acontecer.

— Não adianta! Não vou te liberar. Mesmo que nunca mais volte a compartilhar minha cama, ainda assim, continuará sendo minha mulher enquanto viver.

A expressão incrédula estampada em seu rosto não deixava dúvidas. Minha sentença havia caído como uma lápide sobre ela.

— Se é assim que você pensa... espero que possa conviver com isso. Com licença!

— Aonde você vai?

— Para meu quarto. Ou você pretende me impedir?

Que inferno! Porque ela não podia simplesmente chorar um pouco e depois aceitar o que somos, como fazem todas as outras?

Meu primeiro impulso foi ir atrás dela, puxá-la pelo braço e trazê-la de volta para terminarmos aquela conversa. Mas, talvez fosse melhor assim. Ela precisava de um tempo para se acalmar e eu também.

Sentindo que estava a ponto de perder o pouco de controle que me restava, caminhei até o bar e me servi de outra dose, mas os sons vindos do andar de cima denunciavam que o problema ainda estava longe de terminar.

Larguei o copo sobre a mesa e subi as escadas, indo direto para o quarto de Carlie.

— Que malas são essas?

Pega desprevenida, ela me olhou assustada, mas no mesmo instante se recompôs. A petulância explícita em seu olhar.

— Não achou mesmo que depois de tudo que descobri eu continuaria vivendo aqui com você.

Pronto! Ela estava novamente me desafiando e me colocando contra a parede.

Caminhei lentamente até ela, tentando avaliar as consequências do que estava prestes a fazer, mas certamente não fui hábil em disfarçar minha intenção, porque no mesmo instante ela retrocedeu.

— Donovan, por favor, tenha bom senso.

— Para o inferno com o bom senso! — bradei envolvendo-a pela cintura. — Não vou deixar que saia da minha vida assim.

A guerra estava declarada. E se eu não podia usar de controle mental, usaria de outras armas para detê-la.

Numa velocidade vertiginosa, atirei-a na cama, pairando sobre ela. Com suas pernas presas entre meus joelhos, rasguei de um só golpe aquele maldito jeans e fiz a mesma coisa com as outras peças que cobriam seu corpo, desvencilhando-me dos pedaços.

— Donovan Hunter, o que pensa que está fazendo?

Ela me interrogou. Os olhos denotando o quanto estava assustada com minha reação.

— Cansei de discutir e também não vou impor minha vontade, amor! — respondi com a voz mais tranquila que pude produzir naquele momento —, mas é bom que fique um pouco assustada. Quem sabe assim, você entenda de uma vez por todas, que não estou disposto a abrir mão de você.

— Pare com isso! Saia de cima de mim agora mesmo.

Ignorando seus apelos, inclinei o corpo aproximando meu rosto ao dela e peguei uma mecha de seu cabelo entre as mãos. Delicadamente, acariciei seu rosto, enquanto murmurava em seu ouvido:

— Eu te amo, princesa! E quando isso passar você vai ver que ainda me ama também.

Podia sentir as reações de seu corpo sob o meu. A respiração entrecortada, confirmando que sua resistência começava a fraquejar.

— Don. Não podemos resolver essa situação na...

Antes que ela terminasse o que pretendia dizer, cobri sua boca com a minha, abafando o som de seu último protesto, enquanto minhas mãos deslizavam por seu corpo acariciando seus seios, baixando por seu ventre, até chegar a sua parte mais íntima.

Deixei que meus dedos brincassem dentro dela e quando percebi que estava pronta, cravei suavemente minhas presas na parte mais macia de seu seio, apenas o suficiente para que ela explodisse, banhando minha mão com sua umidade.

— Não resista ao que é evidente, princesa — voltei a sussurrar em seu ouvido sem deixar de tocá-la. — Venha comigo uma vez mais. Prometo que depois, se você ainda quiser partir, não farei nada para detê-la.

Seus braços envolveram meu pescoço, em uma prova evidente de que se rendia. Enquanto me movia para dentro dela, penetrando-a pouco a pouco, senti seu corpo me receber, centímetro por centímetro. E quando finalmente a preenchi por inteiro, ela arqueou o quadril, enlaçando-me com as pernas.

Deixei que acompanhasse meus movimentos, até sentir que

não poderia mais segurar e então, voltei a cravar minhas presas, dessa vez profundamente, na pele alva e delicada de seu pescoço.

Suas unhas rasgaram minhas costas e no mesmo instante fomos arrebatados para nosso universo paralelo, flutuando naquela imensa escuridão, onde não havia nada além de nós dois. Seu sangue fluindo em minha boca na mesma proporção em que eu me derramava dentro dela.

Devagar, afrouxei o *beijo,* permitindo que aos poucos ela retornasse a realidade, mas permaneci onde estava por um momento mais, observando a paixão ainda refletida em seus olhos.

Deixei meu corpo tombar para o lado, trazendo-a comigo.

Envolvi Carlie em meus braços, prendendo-a junto a meu peito e enterrei o rosto em seus cabelos, seu perfume invadindo meus sentidos.

— Don...

— Não diga nada, princesa! Apenas fique assim um pouco mais. Vamos deixar o resto para depois.

Ela obedeceu, aconchegando-se ainda mais, enquanto eu brincava displicentemente, traçando desenhos imaginários em suas costas.

— Tenho sede — ela murmurou depois de algum tempo.

— É claro que tem, meu amor — respondi deixando escapar um sorriso de satisfação. — Como pude esquecer disso?

Fiz um corte em meu pulso e ofereci a ela. Deixei que bebesse o quanto quisesse, até se sentir satisfeita. Mas, o simples fato de alimentá-la, era o suficiente para reacender meu desejo.

— Princesa, se não me quiser dentro de você novamente, é melhor parar — adverti, consciente de que mais um minuto daquilo e eu não resistiria.

Mas ela parou. Afastou meu braço delicadamente, limpando um filete de sangue que escorria pelo canto de sua boca e se reclinou no travesseiro, distanciando seu corpo do meu.

Não importa quão obscuro seja o momento, amor e esperança sempre são possíveis.

George Chakiris - ator

Capítulo 3

Esperança perdida

Um torvelinho de emoções se apoderou de mim, como sempre acontecia quando fazíamos amor, mas eu sabia que aquilo não mudaria em nada o que aconteceu no passado e minha decisão já estava tomada.

— Don, precisamos conversar.

— Ainda pretende me deixar?

— Você sabe que o que aconteceu não muda nada em nossa situação.

— Pense bem, Carlie! Somos uma família. Não pode jogar fora tudo que construímos.

— Família?! Que família? — respondi, tentando controlar a emoção que aflorava — Nunca seremos uma família de verdade. Não vê? Sou uma vampira. É isso que sou e não posso mudar minha natureza. Nunca poderei te dar uma família e a ideia de adotar uma criança humana, para assisti-la passar por todas as mazelas de sua frágil vida, vê-la crescer e morrer enquanto permanecemos jovens e saudáveis, para se tornar mais uma lembrança de alguém que me foi roubado por essa maldita eternidade, sinceramente, não me agrada.

— Eu sei — ele respondeu sério. — Mas, ao menos agora tenho certeza que você ainda me ama.

— Por favor, não me pressione. Eu preciso de um tempo. Tem que me deixar ir.

— Posso não ter as boas maneiras ou a elegância de Noah, mas sei honrar minha palavra. Prometi que não faria nada para impedi-la de partir e não farei.

— Eu sei. Posso acusá-lo de muitas coisas, mas essa não é uma delas.

— Já sabe para onde vai?

— Pensei em passar uns dias com Elise, até alugar um apartamento na cidade.

— Tudo bem. Só me prometa que não vai mais fugir ou cometer qualquer outro tipo de loucura.

— Fique tranquilo. Não pretendo sair do país. Não tenho mais motivos para isso.

— Quer que eu te leve até lá?

— Não precisa. Meu carro está parado na estrada junto ao portão.

— Então, fique aqui e arrume suas coisas com calma. Leve o tempo que precisar. Vou buscar o carro para você.

Meia hora depois, desci as escadas levando duas malas e me preparei internamente para me despedir de Donovan, que estava a minha espera no hall.

— Separei o que vou precisar por agora. Depois que me instalar definitivamente, venho buscar o resto.

— Sabe que não precisa se mudar. Você poderia ficar aqui.

— Don! Você sabe tão bem quanto eu que se ficar vamos acabar repetindo o que aconteceu há pouco e não é isso que eu quero.

Donovan não respondeu. Limitou-se a se aproximar, segurando meu rosto entre suas mãos e delicadamente depositou um beijo em minha testa.

— Aqui sempre será sua casa. E se precisar de alguma coisa, qualquer coisa, não hesite em me avisar.

— Eu ficarei bem. Não se preocupe — respondi, sentindo a garganta travada pela emoção.

— Minha princesa! — ele fez uma pausa torturante e me envolveu em um abraço forte antes de prosseguir. — Prometa que me dará notícias. Quero ter certeza de que você está bem.

— Eu prometo! Só peço que aguarde alguns dias — respondi, sentindo as lágrimas retornarem, ameaçando rolar a qualquer momento — Agora me deixe ir ou não vou conseguir.

Afastei-me, caminhando em direção ao carro, que já estava estacionado próximo à escada, deixando Donovan de pé na porta. Podia sentir seu olhar fixo em minhas costas e naquele momento, eu soube que tão cedo não voltaria a vê-lo.

Abri a porta do motorista e entrei, imediatamente ligando o som, em uma tentativa insana de romper o elo com as emoções, mas as primeiras notas de Hurricane, da banda 30 Seconds to Mars, invadiram minha mente.

A canção só serviu para intensificar ainda mais o que eu sentia.

Dei a partida e arranquei com mais velocidade do que teria feito normalmente, permitindo que as lágrimas corressem livres por meu rosto.

— Impetuosa e voluntariosa! Parece que ela teve um bom professor.

— Você só pode estar de brincadeira comigo, Noah! — explodi — O que é isso? Algum tipo de teste com minha paciência?

— Estou apenas constatando os fatos.

— O seu senso de humor é mesmo muito apropriado para o momento.

— Relaxe, Donovan! Você sabe que isso é temporário. Logo ela estará de volta.

— Acho bom! Porque não sei até quando vou suportar essa situação — rosnei. — Durante cem anos, fiz tudo que foi preciso para protegê-la. Só de imaginá-la sozinha por aí, com esse caçador à solta, é o suficiente para me arrepender de ter a deixado ir. Maldita hora que dei minha palavra de que não iria detê-la.

— Não pensou que o mais sensato seria usar o domínio e pôr um ponto final nessa situação?

— Seria mais simples, mas não quero Carlie ao meu lado por compulsão. Esperei um século até que ela descobrisse que me ama e não vou colocar tudo a perder agora. Sei o que ela sente por mim. Só não entendo por que essa necessidade de se distanciar por tanto tempo.

— As mulheres são um grande mistério e Carlie já demonstrou que não é tão subserviente quanto você gostaria.

— Subserviente? Ela é teimosa, isso sim — bradei furioso. — Tenho a impressão de que não a verei tão cedo.

— Poderia apostar no contrário — Noah respondeu entre risos.

— Pelo jeito você está se divertindo muito com a situação.

— Digamos que tive o prazer de desfrutar da companhia de Carlie por pouco tempo, mas foi o suficiente para saber que ela retornará. Depois de perder duas pessoas tão importantes na vida, ela não quer perder mais ninguém. Nem mesmo você.

— Eu estou com um problema sério aqui. Não acho que delírios românticos me ajudarão agora, Noah.

— Apenas tenha um pouco de paciência para aguardar o tempo que ela necessita.

— Uma semana e ela sequer me deu um telefonema para dizer se está bem.

— Você não pediu meu conselho, mas vou dá-lo mesmo assim. Se pretende realmente reconquistar sua mulher, comece encontrando uma maneira de extravasar sua raiva. Você está a ponto de perder o controle e sinceramente, me surpreende vê-lo nesse estado. Em outros tempos já teria resolvido isso. O que está acontecendo?

— Teria mesmo, não é? — perguntei como se questionasse a mim mesmo —, mas agora é diferente.

Por um momento fiquei pensativo, analisando minha condição. Sabia o que estava acontecendo. Já havia presenciado muitas vezes para me enganar ou para não reconhecer os sintomas.

— O cheiro dela está entranhado em mim — declarei seriamente. — Não durmo há pelo menos três dias, porque sempre que fecho os olhos à imagem de seu rosto invade minha mente. E o sabor... — fiz uma pausa, contendo a angustia de sentir fisicamente o que cada palavra pronunciada significava — Ninguém tem o sangue tão doce, a ponto de fazer o gosto de Carlie abandonar minha boca. E não me olhe assim. É claro que já tentei. O suficiente para afirmar com segurança.

Noah me dirigiu um olhar que era uma mescla de perplexidade e divertimento.

— Os devastadores efeitos da abstinência ao laço de sangue — ele constatou. — Lamento dizer, mas você está viciado.

— Eu sei — foi tudo que respondi.

— O que não consigo entender é como você permitiu que isso acontecesse. Você a converteu ou esqueceu-se desse fato? Deveria ter seguido a máxima: permita que se sacie em você, mas alimente-se com moderação.

— Como se não bastasse o sentimento, ainda tenho que passar por isso.

— Se *você* está nesse estado — Noah enfatizou a palavra você, dando mais dramaticidade à frase —, fico imaginando a condição em que Carlie se encontra.

— Ainda acho que você precisa sair e se divertir um pouco — Elise tentou argumentar. — Desde que veio para cá está enclausurada nesse apartamento e não faz outra coisa a não ser ouvir músicas deprimentes, debruçada sobre esse computador. Não conversa, não sorri e se alimenta feito uma compulsiva. Já está me dando medo, sabia?

— Você é tão exagerada — respondi rindo.

— Nossa! Isso é o som de um riso? Mal posso acreditar que você ainda sabe rir.

— Elise, me deixe em paz um pouco! Preciso me concentrar. Não vê que estou tentando encontrar um apartamento?

No mesmo momento me arrependi. Não era minha intenção ser grosseira com Elise, mas acabei usando um tom rude. Muito além do que teria usado normalmente.

— Calma Carlie! Foi só uma brincadeira. Não precisa ficar nervosa.

— Desculpe! Você tem sido maravilhosa comigo. Eu não devia falar assim. Mas essa sede maldita que não consigo saciar está me deixando louca. Sinto minha garganta queimando e nada me satisfaz. Devo estar com alguma doença vampírica desconhecida.

— Você anda muito estressada. Deve ser por causa de todo esse sangue gelado que está consumindo. Isso não é natural. Ninguém deveria se alimentar exclusivamente dessa forma.

— Bobagem! Eu me alimentei assim a vida toda e nunca tive problema — retruquei. — Mas agora, não sei o que está acontecendo comigo. Já experimentei todo tipo de sangue e nenhum me satisfaz. Como se tudo pelo que venho passando nos últimos dias não fosse tortura suficiente.

— Eu percebi. Praticamente esgotou nosso estoque. Acho que você precisa mesmo é de um bom e saudável doador. De preferência um bem bonito.

— Nem pense em pedir algo assim para mim. Sabe muito bem que desprezo esses hábitos.

— Mas foi bom lembrar. Preciso ligar para a Casa Paraíso. Tenho alguns assuntos pendentes para resolver e vou aproveitar para pedir outra remessa de sangue gelado, pra ver se você se acalma.

— Ótimo! — respondi sorrindo — Assim terei mais uns instantes de silêncio para continuar minha busca.

— Não sei por que está tão ansiosa para encontrar esse apartamento. Você poderia ficar aqui comigo pelo tempo que quisesse.

— Sei disso. Também adoro a sua companhia, Elise. Mas nunca tive um espaço só meu. Realmente preciso viver essa experiência, entende?

— Entendo querida! Eu sei a força que tem a presença de Donovan. Imagino que agora, tudo que você quer é um pouco de privacidade para desfrutar sua liberdade.

— Obrigada pela compreensão — agradeci, pensando no verdadeiro motivo de minha ansiedade. — Além do mais, nenhum de nós tem muito tempo a perder e quero aproveitar o que me resta para experimentar o que ainda não vivi.

— Agora é você quem está sendo dramática. Que coisa mais mórbida de se dizer. Nós temos a eternidade pela frente.

— Não estou tão certa disso.

— Se está preocupada por causa daquela história do caçador, duvido que ele ainda esteja por aí. A essa altura, os homens de Yuri já devem ter dado um jeito nele.

— Ao menos para isso aquela maldita organização serve.

Achei prudente não comentar nada sobre a profecia dos anjos. Pelo menos por enquanto. Seria melhor deixar Elise pensando que eu me referia ao problema do caçador, até ter oportunidade de conversar novamente com Johnatan.

— Mas não pense que desisti de tirá-la do casulo onde você se meteu. Essa noite você vai sair comigo.

— Não acho que é uma boa ideia.

— Vamos lá, Carlie! Concorde só uma vez. Não vou aceitar um não como resposta.

— Tudo bem. Mas tem que me prometer que não vamos a nenhum lugar onde Donovan costuma frequentar. Ainda não estou pronta para isso.

— Se era essa sua preocupação, pode ficar tranquila. Conheço um lugar perfeito. Nem mesmo aqueles idiotas da Among Us estarão por lá.

— Se é assim, eu concordo. Mas iremos apenas nós duas. Nada de chamar as meninas e transformar a noite em uma festa.

— Combinado! — Elise respondeu animada, retirando-se para dar seu telefonema e me deixando sozinha com meus pensamentos.

Para que a luz brilhe intensamente, a escuridão deve estar presente.

Francis Bacon – filósofo

Capítulo 4

Johnatan Fallen

Dois dias antes...

Após a traição de Claire e o encontro com os caídos, a ameaça de que uma guerra fosse travada aqui mesmo na terra, tornava-se cada dia mais real. Por mais que eu clamasse por ajuda, nada acontecia. Noites e mais noites de oração, pedindo auxílio a meus irmãos e nenhuma resposta, nenhum sinal que me trouxesse esperança.

Eu não podia continuar sentado em meu quarto de hotel, esperando que Azazel tivesse tempo para pôr em prática seu plano sórdido, orquestrado com ajuda dos cinco caídos. Precisava fazer alguma coisa para impedi-lo, antes que ele conseguisse acabar de vez com a raça humana.

Desesperado e sem alternativa, já que meu único contato possível com Rafael havia se debandado para o lado do inimigo, só me restava uma coisa a fazer. Algo que era proibido aos banidos como eu. Um meio de comunicação direto, usado raramente pelos que estavam em missão na terra, para acessar os planos superiores sem a necessidade de desmaterializar o corpo físico.

Esperei a noite cair e espalhei o símbolo dos anjos por todo o quarto, feito com meu próprio sangue. Afastei os móveis e desenhei um maior no chão, bem no centro do cômodo, me deitando dentro dele.

Fechei os olhos, tentando acalmar minha alma e pronunciando as palavras que eu ainda lembrava claramente. Aos poucos, entrei em transe. Se alguém me visse, certamente pensaria que eu estava dormindo. E então, o sonho começou.

Não um sonho propriamente dito, como os humanos conhecem. Mas, algo bem próximo ao que eu mesmo costumo projetar em minhas induções.

As primeiras imagens eram borradas e embaralhadas, como sombras disformes. Até que começaram a se tomar nítidas, me deixando ainda mais confuso.

Tinha certeza que era o lugar errado. Nunca estive ali antes. Não havia nada nem ninguém, apenas um grande deserto. Um espaço perdido entre as dimensões, como um limbo.

Uma fraqueza insuportável se apoderou de meu corpo, impedindo qualquer movimento, e comecei a pensar que meu plano havia dado errado.

— Foi muita ousadia sua, usar de um método puro dos anjos para chegar até aqui. Não concorda, Johnatan Fallen?

— Rafael... — murmurei, sentindo meu peito queimar ao produzir aquela simples palavra. Foi como se, de repente, o ar ficasse muito raro. Mas eu tinha certeza que era ele. Reconheceria aquela voz em qualquer parte do universo.

Como por encanto, a pressão em meu peito começou a diminuir e as formas surgiram, uma após outra. Árvores e várias espécies de plantas, um rio que serpenteava pelo terreno a perder de vista no horizonte. Até que toda a extensão ao nosso redor se transformou em um imenso e exuberante jardim.

Permaneci ajoelhado, mas consegui erguer a cabeça e a imagem esplendorosa de Rafael, em sua forma original, surgiu a minha frente.

Precisava ser rápido e justificar minha presença, antes que fosse banido de volta a terra. Tinha plena consciência de que estava infringindo leis severas e que, mesmo sendo recebido por Rafael, não havia tempo a perder.

— Acredito que se consegui chegar até aqui foi porque, de alguma forma, tive autorização. Sei que é proibido a todos os caídos e nem mesmo Lúcifer conseguiria entrar se você não permitisse.

— Astuto como sempre. Mas, ainda assim, foi bem ousado de sua parte. O que quer de nós?

— Piedade para os humanos — declarei sem hesitar. — Sei que você observa tudo que acontece e sabe o que está se passando. O tempo da profecia está se aproximando e não quero fazer parte dela. Eu preciso da sua ajuda para impedir que o plano de Azazel se concretize — fiz uma pausa para que minhas palavras fossem degustadas por ele. — Se uma guerra dessas proporções acontecer na terra, toda a raça humana estará fadada ao extermínio.

— Estou ciente. Sei quem é o inimigo e o que ele pretende. Mas, o que faz você pensar que tenho intenção de ajudar um condenado a se livrar de uma profecia?

— Porque você sabe que Azazel não está blefando e a vitória dele significaria a queda dos céus. Há muito tempo aceitei minha condição, mas não perdi a esperança de conquistar o direito a redenção. Não quero ver o caos instalado, tanto quanto você. Tudo que estou pedindo é sua ajuda, para evitar que a profecia se cumpra.

— Um pedido nobre de sua parte. Fizemos um acordo em nosso último encontro e pretendo honrá-lo, mas não me peça mais do que isso. Agora, volte para seu mundo.

— Mas você vai interferir? O que devo fazer? — gritei seu nome — Rafael! — Mas era tarde demais.

Aos poucos, fui perdendo os sentidos e tudo a minha volta se tornou névoa. Não enxergava ou ouvia mais nada, até ser literalmente tragado pela escuridão.

Despertei no meio da madrugada, com o corpo gelado e coberto de suor, ainda sentindo os efeitos de minha viagem ao plano superior.

Aos poucos, fui recobrando as lembranças da curta conversa que tive com Rafael e me questionei sobre sua possível decisão. Será que ele me ajudaria, enviando um novo emissário para tentar reverter o quadro que se formava? Ou quem sabe, tomasse até uma atitude mais efetiva.

De uma coisa eu tinha certeza, Rafael não ignoraria meu apelo. Ele também tinha interesse em evitar a guerra. Do contrário, não teria se dado ao trabalho de enviar Claire para investigar os boatos de uma nova insurgência.

Levantei, desfazendo imediatamente o cenário de histórias fantásticas em que havia transformado o quarto. Apaguei as marcas que havia feito nas paredes, assim como a maior, onde até pouco tempo eu me encontrava. Retornei os móveis para o lugar e fui para o banheiro. Precisava de um banho para apagar os traços do esforço realizado e depois, um bom café da manhã.

Desci até a garagem do hotel me sentindo ansioso. Entrei no carro, que havia alugado há alguns dias, e segui para o outro lado do grande canal, onde eu sabia que encontraria uma excelente cafeteria. Além de me alimentar queria espairecer um pouco e o desjejum servido no salão do hotel não se prestaria a esse propósito.

O complicado de se estar diante da ameaça de uma grande guerra, é que não dava para parar de pensar nela, nem por um minuto. E ainda menos quando você está no centro da questão.

Tentei distrair a mente me concentrando na paisagem da cidade ao longo do curto percurso. Observei as pessoas que transitavam pelas ruas e o movimento dos outros carros, tentando pensar em outra coisa, até chegar à cafeteria, que àquela hora da manhã estava bem movimentada.

Acomodei-me em uma mesa pequena, que só oferecia espaço para duas pessoas e esperei calmamente que a atendente viesse tomar nota do meu pedido.

Quando a jovem retornou, trazendo a xícara de café e o croissant com queijo que eu havia solicitado, reparei que parecia um pouco nervosa e imaginei que isso se devia ao fato de ter que atender tantos clientes ao mesmo tempo. Não dei importância ao fato. Minha cabeça já estava suficientemente cheia com coisas mais sérias. Talvez fosse seu primeiro dia ali, pois eu não me lembrava de tê-la visto antes. Mas então, fui surpreendido por alguém.

— Será que posso me sentar aqui com você? Parece que esse é o único lugar vago — a mulher a minha frente perguntou, correndo os olhos pelo espaço a nossa volta.

— Fique à vontade! — Respondi e ela se sentou à minha frente.

— De onde você é?

— Como? — Retribuí, achando a pergunta totalmente inapropriada.

— É que sou nova na cidade e tive a impressão que você também não é daqui. Mas, me desculpe! Como pude ter sido tão grossa? Sou Elizabeth Barth — ela concluiu, me estendendo a mão.

— Johnatan Fallen — respondi seco. — Sou de muito longe e não despertei com ânimo para falar muito.

— Tudo bem. Eu também não confiaria em uma estranha perguntando sobre minha origem — ela acompanhou o comentário com um riso estridente e forçado.

Preferi não responder, pois minha atenção já havia se voltado para a presença estranha que senti no ambiente. Não consegui identificar de imediato, devido ao grande número de pessoas na cafeteria, mas sem dúvida se tratava de uma aura repleta de maldade.

— Aconteceu alguma coisa? Está com uma expressão tão séria.

A voz da mulher sentada a minha frente me trouxe de volta.

— Não é nada. Apenas tive impressão de ver alguém conhecido — respondi para disfarçar.

Continuei a vasculhar o recinto, tentando identificar o dono daquela energia e finalmente o avistei.

Um homem, vestindo um sobretudo preto e com o rosto oculto pela gola erguida, estava parado na porta da cafeteria. Assim que percebeu que notei sua presença, ele saiu.

Tentei ir atrás dele, saindo do recinto o mais rápido que pude, mas até me desvencilhar da mulher curiosa a minha frente e atravessar o salão repleto de humanos, já era tarde e não havia nem sinal dele na rua. Esquadrinhei a área, na esperança de captar um rastro da energia deixado para trás, mas não havia nada.

Estranhei a situação inusitada e forcei a mente, tentando imaginar quem poderia ser. Ninguém, além dos caídos, teria motivo para estar no meu encalço. Mas aquele homem, com certeza era humano, apesar de possuir uma aura incomum.

Retornei para dentro da cafeteria, tentando não chamar mais atenção do que já havia feito e retornar ao meu desjejum, deixado pela metade sobre a mesa. Mas então, tive outra surpresa. Elizabeth também não estava mais lá.

— Oi! — Cumprimentei ao me aproximar da atendente que estava atrás do balcão. — Será que você poderia me dizer se a moça que estava ali comigo foi embora?

— Que moça? Não havia ninguém além do senhor na mesa.

Aquilo era mais suspeito do que o homem que desapareceu misteriosamente. A atendente era exatamente a mesma que nos serviu e mesmo assim não se lembrava da mulher sentada a minha frente.

O fato me tirou o apetite. Voltei para o carro com a sensação de que minha segurança estava em risco. A essa altura, era melhor ficar no hotel ou acabaria me metendo em mais confusão.

Entrei em meu quarto pensando em tudo que havia acontecido. A ameaça de Azazel, a conversa com Rafael e agora, aquela manhã estranha. Nada fazia sentido, mas tudo me aproximava ainda mais daquela maldita guerra.

Decidi treinar meu dom natural de indução através dos sonhos. Se eu tinha que passar o dia trancado naquele quarto, aguardando por alguma notícia de Rafael, então era melhor me dedicar a alguma coisa que tivesse o poder de manter minha mente totalmente concentrada. Ao menos, me livraria do stress gerado pela espera indefinida.

Afastei a cadeira, liberando espaço junto à parede e encostei, assumindo postura de meditação. Permaneci ali por horas, criando e modificando cenários e situações, onde seria possível aniquilar o inimigo mentalmente. Estava tão focado no treinamento que nem me lembrei de me alimentar, até que minha mente começou a dar sinais de cansaço.

Apesar de ser um dom natural a todos os anjos, criar um mundo paralelo era mais complicado do que parecia e a prática demandava um gasto extraordinário de energia.

Abri os olhos saindo do transe e percebi que a noite já havia caído, e para meu desespero, Rafael não havia mandado notícia alguma.

Conformado, pedi uma refeição na cozinha do hotel e tomei um banho enquanto aguardava o serviço de quarto. Por volta das dez horas da noite, terminei de devorar o que o garçom havia trazido e fui para a cama, dormindo quase que imediatamente, por conta do cansaço mental em que me encontrava.

Inesperadamente, uma forma escura e sinistra invadiu meu sono, como em um pesadelo. Não consegui ver os detalhes de sua aparência, mas era capaz de sentir a maldade emanando daquela presença e suas mãos frias alcançando meu pescoço. Um cheiro desagradável tomou conta do ambiente e durou o equivalente há alguns minutos que pareceram horas.

Senti que era arrastado e, de repente, já não estava mais no quarto do hotel, mas de volta ao exato momento de meu julgamento, quando fui banido do céu. Como se um filme da minha própria vida passasse à minha frente, fui invadido novamente pela mistura de sentimentos que vivi naquele dia.

— Ainda vai perdoá-los por te banirem, mesmo sabendo que você fez tudo aquilo por eles?

— Azazel! O que você pretende invadindo minha mente?

— Deveria tomar mais cuidado com a sua segurança e não treinar até a exaustão. Você não precisa disso — ele respondeu e sua voz soava metálica em minha cabeça. — Não tem com o que se preocupar. Basta aceitar nossa proposta de acordo e a vitória estará garantida.

— Você tem ideia do caos que será instalado se os céus caírem?

— Com a união dos véus, céu, terra e submundo serão um só. Só haverá espaço para um Rei e você pode estar ao lado dele.

— E o que você ganharia com isso?

— Eu não quero o poder para mim, se é nisso que está pensando. Quero apenas o mesmo que lúcifer: exterminar os humanos e obter a vingança sobre o criador, que tirou o lugar que era nosso por direito para dar a eles.

— Acha mesmo que tem poder para ganhar essa guerra?

— Até mesmo você, Johnatan Fallen, sabe que sim. Do contrário, não teria ido pedir ajuda para Rafael. Pensa que não sei o que você fez a noite passada? Sua energia deixou um rastro ao romper os limites proibidos — Azazel despejou em minha cara. — Você sabe que vou ganhar a guerra. Assim está escrito. Só preciso de um único apoio: o seu. E eu terei.

— Como pode ter tanta certeza de que me unirei a você?

— A profecia se cumprirá. Você se juntará a nós e poremos fim à soberania imposta por eles.

— Isso nunca acontecerá, Azazel. Desista! — Bradei com todas as minhas forças, enquanto a imagem dele se desfazia em minha mente, deixando uma angustiante sensação diante da certeza que ele tinha de que eu me juntaria a seu exército.

Acordei com batidas insistentes na porta e me surpreendi ao ver que já era dia. Não havia pedido nenhum serviço antes de dormir, o que tornava mais estranho o fato de ser despertado àquela hora da manhã.

— Já vou — gritei ainda na cama. — Se for o serviço de quarto, eu não preciso de nada.

Abri a porta com cuidado e tive uma verdadeira surpresa.

— Kira!

— Olá, Johnatan! — Respondeu a visitante inesperada. — Não vai me deixar entrar?

Kira Yanni ou mais precisamente *O Presente de Deus*. Com longos cachos cor de fogo e enormes olhos que pareciam esmeraldas, Kira era linda. Perfeita! Inteligente, justa e às vezes, muito cabeça-dura. Séria e centrada, era considerada por todos como inalcançável.

— Claro — respondi, afastando a porta para lhe dar passagem —, mas o que está fazendo aqui?

— Você pediu ajuda e Rafael me enviou.

— Agradeço muito, mas me surpreendo por você ter aceitado essa missão.

— Rafael não me informou tudo — Kira respondeu friamente, como era seu costume. — Preciso que você me ponha a par dos detalhes.

— Está explicado. Bem, fique à vontade. Essa será uma longa conversa.

— Tenho uma coisa para você também — ela falou colocando um objeto comprido em minhas mãos, cuidadosamente embrulhado em um tecido azul espesso, atado por um cordão dourado.

— É o que estou pensando? — Perguntei quase sem acreditar no que meus olhos viam.

— Rafael disse que você vai precisar.

Afastei o tecido e o brilho prateado da espada, que tantas vezes usei nas batalhas celestes, reluziu no quarto, refletindo sua luz nas paredes.

— Parece que ele realmente decidiu interceder.

— Ele mencionou algo sobre ter feito umas modificações, mas não disse exatamente quais. Falou que na hora certa você entenderá.

Então, apesar de tudo, Rafael havia me escutado e enviou Kira. Não poderia existir um anjo melhor para me dar apoio. Kira trabalhava em minha divisão antes da queda. Conhecia meu modo de atuar, aceitava bem o meu comando e ainda por cima, trazia consigo a melhor arma que eu poderia desejar para lutar naquela guerra.

— Johnatan, como você veio parar aqui? Você era um de nossos melhores guerreiros. Não havia uma parte do universo em que não conhecessem e temessem seu nome. E agora, é um caído. Isso nunca fez muito sentido para mim.

— Você sabe o motivo. Não devemos remexer no passado. Temos coisas mais importantes em que nos concentrar.

— Tem razão. Desculpe!

Passei um bom tempo explicando tudo para ela, desde o momento em que conheci Carlie, até a batalha contra os Among Us e a chegada inesperada de Rafael. Falei sobre o encontro com os cinco caídos, sobre a profecia que Azazel tinha esperança de realizar e sobre a traição de Claire.

— Sempre soube que ela não pertencia ao Céu. Eu mesma quero pegar aquele pescoço há tempos — Kira declarou, me surpreendendo. — Desde os tempos em que você vivia conosco desconfio das intenções dela. Não sei como você nunca percebeu nada.

Durante o restante do dia conversamos sobre as estratégias que poderíamos usar para tentar levar a guerra para outro plano, fora da terra, caso o confronto viesse realmente a acontecer. Minha maior preocupação era com o fato dos humanos presenciarem a batalha, que se daria entre os exércitos dos caídos e o que estávamos prestes a organizar.

— Eles não terão a mínima chance. Serão exterminados como insetos indefesos.

— Azazel sabe perfeitamente que Rafael não permitirá que isso aconteça e é exatamente com isso que está contando. Ele espera que os exércitos celestes sejam enviados, deixando os acessos aos planos superiores desguarnecidos.

— Mas então, o que vamos fazer Johnatan?

— Eu tenho uma ideia, mas vamos deixar isso para outra hora. Agora preciso entrar em contato com Carlie e expor o que está acontecendo. A raça dela está em risco também e por mais que eu concorde com você sobre alguns aspectos, não posso permitir que ela continue sem saber de toda verdade.

Peguei o telefone que estava sobre a mesinha de cabeceira e disquei o número do celular de Carlie.

— Johnatan, estava mesmo querendo falar com você. Aquela história não sai da minha cabeça. Andei pesquisando e encontrei vários pontos semelhantes entre a sua profecia e os escritos antigos de meu povo.

— Carlie, me escute — interrompi antes que ela prosseguisse em seu discurso. — Foi exatamente por isso que eu liguei. Precisamos conversar, mas não pelo telefone. Não seria prudente.

— Claro. Você tem razão.

— Precisamos marcar um encontro, mas você deve vir sozinha. Entende?

— Sim. Pode ser amanhã?

— Amanhã pela manhã está ótimo.

— Vou até seu hotel, John. Acho que consigo me desvencilhar de Elise e chegar aí por volta das nove horas.

— Perfeito! Nos veremos amanhã então.

Com o encontro marcado, voltei minha atenção novamente para Kira. Dessa vez, preocupado em providenciar as condições básicas para sua estada na terra, começando por um quarto extra, de preferência no mesmo hotel.

Se o mal tem que ser feito a um homem, que seja de maneira tão severa que sua vingança não precise ser temida.

Nicolau Maquiavel - historiador e autor

Capítulo 5
Perigo a espreita

Aproveitei, enquanto Elise fazia a ligação para a Casa Paraíso e tratei de fechar as páginas de pesquisa sobre as antigas lendas vampíricas. Deixei apenas a página do site de imóveis aberta. Não queria correr o risco de ser surpreendida por ela, antes de conversar com Johnatan e ter certeza do que estava para acontecer. Mas a verdade é que a semelhança entre as duas profecias era incontestável.

Mal encerrei essa tarefa e meu celular vibrou. Conferi o nome no visor e vi que se tratava de Johnatan. Ele parecia apressado ao telefone e marcamos um encontro para a manhã seguinte.

— Quem era? — Elise perguntou não contendo a curiosidade, que era um traço natural de sua personalidade. — Não me diga que meu irmãozinho já está implorando para você voltar.

— Nada importante. Só um corretor de imóveis me oferecendo um apartamento.

— Essa hora? Pensei que eles não trabalhavam a noite.

— E não trabalham, eu acho. Marcamos para amanhã — menti descaradamente.

— Bem, que tal largar esse computador e se arrumar? Estou louca para dançar um pouco.

Resignada, fui para o quarto escolher uma roupa. Sabia que não adiantaria argumentar com Elise. Ela não desistiria de me tirar de casa essa noite.

Por volta de onze horas, entramos no bar que Elise escolheu e foi uma grata surpresa descobrir que realmente não havia ninguém conhecido por lá. Aliás, não havia nenhum vampiro. Parecia um ambiente frequentado exclusivamente por humanos, em sua maioria na faixa dos vinte e poucos anos. Era uma garantia de passarmos despercebidas em meio à multidão que se aglomerava lá dentro.

Fui direto para o balcão, ocupando o minúsculo espaço disponível e pedi um coquetel de champanhe, enquanto uma Elise eufórica já se misturava entre os muitos que dançavam na pequena pista improvisada na frente do palco.

Durante as três horas que se seguiram, revezei entre os coquetéis e a pista de dança, e tenho que admitir: não foi tão ruim quanto havia imaginado. Eram quase duas da manhã quando finalmente consegui arrastar Elise para fora do bar.

A noite estava especialmente fria para aquela época do ano e uma brisa gelada soprou em meu rosto. Ergui a gola da jaqueta no mesmo instante em que senti a estocada no peito, bem próxima do coração.

Imediatamente o sangue jorrou, empapando minha blusa e uma queimação insuportável tomou conta do local da ferida, como se uma brasa incandescente começasse a se apoderar de meu corpo.

A dor era imensurável. Ainda assim, tentei vasculhar a rua a procura do responsável pelo ataque, mas meus olhos já estavam turvos por algum efeito que eu desconhecia e não consegui localizar nada, além da expressão de pânico no rosto de Elise.

— Carlie! — Ela gritou, arrancando a flecha de meu peito. — Por favor, não morra. Você precisa resistir.

— Elise... — sussurrei, sentindo as forças se esvaírem.

— Vou conseguir ajuda. Eu prometo.

Elise me arrastou até o carro e no minuto seguinte, dirigia a uma velocidade vertiginosa, enquanto eu tentava a todo custo não desfalecer no banco do carona.

A dor se espalhava rápido. O sangue havia manchado o estofamento do carro, mas estranhamente parou de jorrar, deixando uma sensação de entorpecimento no local da ferida. Ainda assim, o buraco em meu peito não iniciou o processo natural de regeneração e a queimação, que antes era sentida apenas no local atingido, agora corria por minhas veias.

Quando finalmente Elise estacionou com uma freada brusca na entrada da casa, eu já estava a ponto de perder a consciência.

— Donovan! — Ela gritou em pânico. — Alguém me ajude. Rápido!

— É a voz de Elise — Noah atestou.

— Qual o motivo dessa gritaria? O que está havendo aqui?

— Donovan! Venha rápido. É Carlie.

— Princesa! — Ele exclamou perplexo. — O que aconteceu?

A voz de Donovan soava estridente, demostrando seu nervosismo, frente a minha falta de reação ao ser retirada do carro e praticamente arrastada até a porta, por uma Elise desesperada. Mas, apesar de ouvi-lo, eu não conseguia emitir nada mais que um gemido, de tão intensa que era a dor.

— Onde vocês estavam? — Donovan perguntou, apertando Elise pelos braços como se quisesse obrigá-la a responder. — Vamos, fale! Por que ela está assim? O que fez com ela?

— Mantenha a calma! Elise não faria mal a Carlie. Solte-a e deixe que explique.

— Obrigada, Noah! Mas precisam fazer alguma coisa para ajudá-la. Eu retirei, mas o ferimento não fecha.

Senti as mãos de Elise afastando minha jaqueta e revelando o pequeno buraco que restou, após a retirada da flecha de madeira. O simples movimento, acentuando ainda mais a dor.

— O sangue coagulou, mas isso não quer fechar — Ela completou chorando. — Não sabia o que fazer ou a quem recorrer, por isso a trouxe para cá.

Noah buscou Donovan com o olhar. Sua expressão denotando a gravidade da situação.

— Elise, acalme-se e explique como isso aconteceu.

— Estávamos saindo do bar e de repente um homem disparou nela. Ele estava do outro lado da rua. Eu não podia ir atrás dele e deixá-la nesse estado.

— Um caçador agindo abertamente em nosso território. Isso não é normal. Tem alguma coisa muito errada acontecendo.

— Noah, isso pode esperar. Preciso que me ajude aqui. Ela não reage.

— É o veneno — ele constatou ao me examinar — Temos que agir rápido ou ela não vai sobreviver. Traga-a para cá.

Quando Donovan ergueu meu corpo em seus braços, a dor foi tão lancinante que pensei que não suportaria.

— Elise, esvazie aquela mesa — Noah ordenou rigidamente.

Donovan me colocou sobre a mesa o mais delicadamente possível, mas a dor era agora insuportável e não apenas em meu peito, se estendia por todo o corpo. Senti que ia morrer.

Tentei gritar, mas nem isso consegui.

A essa altura eu desejava a morte, só para não sentir mais aquela maldita dor, que parecia uma brasa incandescente dilacerando meu corpo por dentro.

— O veneno já se alastrou. Teremos que drená-la. É a única maneira de parar o processo.

— Ela não vai suportar, Noah. Tem que haver outro jeito.

— Não há outro jeito. Não mais. O veneno se espalhou muito rápido e se não agirmos logo, ela vai morrer.

— Você não entende — Donovan bradou atormentado. — Ela está muita fraca. Se a drenarmos agora, aí sim ela vai morrer.

— Não se estiver em torpor. Você tem a ligação com ela. Use-a!

Noah fez uma pausa, durante a qual pude ver o desespero e a agonia presentes no olhar de Donovan. Queria dizer alguma coisa. Pedir que me deixasse morrer, mas não conseguia proferir uma única palavra. Sabia que estava prestes a perder a consciência, quando o ouvi ordenar:

— Elise, vá até os fundos e traga bacias. As maiores que tivermos. Pegue também toalhas, ataduras... O que você encontrar que possa ser útil.

Elise permanecia parada ao lado da mesa. Os olhos fixos em mim, como se estivesse em transe.

— Rápido! — Donovan gritou.

Noah pôs a mão no seu ombro, uma tentativa vã de acalmá-lo.

— Se vai fazer isso é melhor que faça logo. Não há tempo a perder.

— Eu sei — Donovan respondeu, se aproximando de mim novamente.

— Princesa! Olhe para mim. Vai ficar tudo bem. Eu prometo. Não vou perdê-la, mas você precisa dormir. Entende?

Meneei a cabeça num movimento quase imperceptível, enquanto as lágrimas caíam silenciosas. Ele se aproximou mais e depositou um beijo suave em meus lábios, fixando seus olhos nos meus.

— Muito bem! Você é uma garota corajosa. Agora, quando eu mandar, vai fechar os olhos e relaxar, até não ouvir nem sentir mais nada. É da nossa natureza e vai fazer toda a dor parar. Apenas, se entregue ao torpor e só desperte quando seu corpo estiver totalmente recuperado. Leve o tempo que precisar meu amor. Eu não vou me afastar. Vou vigiar seu sono e quando você despertar estarei bem aqui ao seu lado. Agora feche os olhos, Carlie.

Deixei as pálpebras pesadas se cerrarem e no mesmo instante, fui envolvida pela confortável escuridão que me cercava.

De repente, não havia mais nada. Nenhuma dor, nenhum som ou movimento. Apenas eu, flutuando na imensidão silenciosa e aconchegante, como se estive de volta a origem de tudo. Como se a própria Lilith me envolvesse em seus braços. E então, minha mente se apagou por completo.

— Temos que manter o sangue fluindo — declarei, enquanto fazia eu mesmo um corte atravessado junto ao pulso esquerdo de Carlie, rogando intimamente para que não coagulasse tão rápido, como aconteceu com a ferida em seu peito.

— É muito sangue, Donovan — a voz de Elise soou trêmula em minhas costas. — Como ela vai sobreviver a isso?

— Ela vai sobreviver — deixei escapar em um murmúrio. — Preciso que ela sobreviva.

— Isso é tudo que você tem aqui? — Noah perguntou do outro lado da mesa, se referindo as bolsas de sangue que Elise acabara de trazer da cozinha.

— O que você queria? Não tenho esse costume idiota de viver a base de sangue gelado. Isso foi tudo que restou depois que ela partiu.

— Não é suficiente. Ela vai precisar de muito mais — Noah retorquiu, tentando manter aberto o corte que ele mesmo produziu no outro braço de Carlie.

— Eu sei, mas vai ter que servir até conseguirmos um reforço.

— Isso não está funcionando. Precisamos acelerar o processo ou ela não terá chance.

Olhei para ele apreensivo. Sabia que tinha razão. Já havíamos cortado os dois pulsos e, apesar da ameaça de coagulação a todo instante, causada pelo efeito do veneno, conseguimos fazer com que o sangue escorresse livre de seus braços, sendo amparado pelas bacias que Elise colocou nas laterais da mesa. Mesmo assim, demoraria muito até que todo o sangue fosse drenado e estávamos correndo contra o tempo. Só havia um jeito de agilizar o processo antes que fosse tarde demais.

Sem hesitar, rasguei o tecido da saia que cobria seu corpo e fiz uma incisão profunda, próximo à virilha. O resultado foi imediato e o fluxo agora era intenso e contínuo.

— Já basta! — Noah declarou depois de alguns minutos. — Ela está limpa, mas precisa ser alimentada.

— Eu cuido dessa parte.

— Então, leve-a para cima. Enquanto isso, eu e Elise vamos nos livrar do sangue contaminado e dar um jeito nessa bagunça.

Subi as escadas com o corpo de Carlie nos braços. Apesar da angústia por vê-la nesse estado, fui tomado por uma reconfortante sensação de alívio, com a certeza de que sua vida não corria mais risco. Agora era uma questão de tempo até que ela se recuperasse e eu faria tudo para que isso acontecesse o mais rápido possível.

Coloquei-a na cama e pacientemente, fiz com que ingerisse todo o conteúdo das míseras três bolsas de sangue que Elise havia encontrado. Seria o suficiente por enquanto, até que chegasse uma remessa urgente.

Retirei as roupas rasgadas e completamente ensopadas de sangue, e comecei a limpar cuidadosamente seu corpo.

Os cortes em seus pulsos começavam a regredir, mas a ferida aberta em sua virilha era profunda demais e ainda resistia. Olhar para ela foi o bastante para que um desejo veemente de vingança tomasse conta de mim.

— Vou cuidar de você como prometi, minha princesa. Mas depois, vou até o inferno se for preciso, para caçar o maldito que ousou feri-la.

Quase uma hora depois, meu trabalho estava concluído, mas eu estava determinado a não deixá-la sozinha. Virei a cadeira estofada de couro em direção à cama e permaneci ali, sentado em completo silêncio, observando-a.

— Donovan?

A voz de Elise vinha do quarto de Carlie.

— Estou aqui — respondi, indicando que estava em meu quarto, sem sequer desviar o olhar para a porta.

— Pensei que tinha colocado Carlie no antigo quarto dela — Elise falou ao entrar. — Noah e eu já terminamos lá embaixo, e vim saber se você precisa de ajuda ou...

Ela interrompeu a frase. Seus olhos fascinados pela imagem da mulher que dormia sobre minha cama.

— Donovan, ela está linda!

— Carlie é uma Princesa — enfatizei —, e não quero que ninguém se esqueça disso até ela despertar.

— Parece uma versão gótica da Bela Adormecida. Nem a própria Lilith estaria melhor.

— Ela tem razão — a voz de Noah soou atrás de nós. — Você fez um excelente trabalho.

Ela estava realmente linda! Deitada, com a expressão serena, como se fosse acordar a qualquer momento.

Os longos cabelos, cuidadosamente arrumados ao redor do rosto, descendo por seus ombros até a altura dos seios. A camisola negra, com o busto ajustado em renda e a saia levemente transparente, cobria todo seu corpo até os tornozelos. Sobre o colo, pendia o coração de rubi, com o qual a presenteei ainda no Brasil. No pulso direito o camafeu com o símbolo do clã e na outra mão, brilhava o anel de diamantes do nosso casamento.

— Yuri ligou — Noah informou, trazendo-me de volta. — Colocou toda a organização no rastro do caçador, mas parece que ele evaporou como um fantasma no meio da noite.

— Um fantasma não causaria esse estrago — limitei-me a responder.

— Liguei para a Casa Paraíso. Estão enviando mais bolsas de sangue para que a alimente apropriadamente e Yuri já mandou alguns homens para guardarem a casa até resolvermos esse assunto.

— Obrigado, Noah!

— Não me agradeça ainda. Teremos muito trabalho nos próximos dias, se quisermos encontrar o responsável pelo ataque — ele fez uma pausa, mudando o tom da conversa. — Precisa de mais alguma coisa?

— Não.

— Então, vou levar Elise de volta a cidade. Já está amanhecendo e ela não se encontra em condições de dirigir.

— Vocês podem ir. Nós ficaremos bem.

— Mais tarde passo aqui para saber notícias de Carlie. Tente descansar um pouco.

— Só vou descansar quando arrancar o coração desse maldito caçador com minhas próprias mãos e jogar seu corpo em pedaços para os cães.

Engana-se quem pensa que a luz viaja mais rápido que tudo. Não importa quão rápida ela seja: a escuridão sempre chega antes e fica a sua espera.

Terry Pratchett - autor

Capítulo 6
O dia seguinte

A ansiedade que me dominava, diante da expectativa do encontro com Carlie, era imensa. Mesmo assim, tentei não parecer nervoso. Apesar dos problemas que teríamos que enfrentar, com a possibilidade de uma guerra, estar com ela ainda mexia muito comigo.

Enquanto aguardava, abri o chuveiro e deixei que a água morna percorresse meu corpo, relaxando os músculos tensos e pensando na melhor maneira de conduzir aquela conversa.

Na verdade, não conseguia me decidir sobre o que deveria fazer primeiro. Falar sobre a profecia e o que estava por vir, ou simplesmente tomá-la em meus braços e beijá-la, como se fosse o último dia de nossas vidas? Esse pensamento estava me deixando louco.

Não pode passar o dia todo pensando nela — me repreendi saindo do banho. — *Existem decisões importantes a serem tomadas e providências que só você pode resolver, Johnatan Fallen* — completei, observando meu rosto no espelho.

Voltei ao quarto e me vesti, mas ao sair para tomar o café da manhã, encontrei Kira me aguardando no corredor.

— Kira! O que houve?

— Não estou acostumada com isso, mas sinto que preciso me alimentar. Esse corpo que estou habitando está muito fraco.

— É difícil mesmo se acostumar — respondi contendo um riso. — Apesar da aparência, praticamente igual a nossa, os poderes ficam parcialmente reduzidos e se não se alimentar eles enfraquecem ainda mais.

— Já faz muito tempo que estive na terra, mas acho que não terei problemas em me adaptar.

— Ótimo! Então, venha comigo. O hotel serve café da manhã aos hóspedes. Não é sofisticado, mas é bem farto. Só que depois terei um compromisso. Estou aguardando uma pessoa e não sei a que horas estarei livre — anunciei. — Mas você pode pedir uma refeição e comer no quarto mesmo, se preferir. Prometo que depois te levo para conhecer a cidade.

— Acredito que não será necessário. Não terei tempo para isso. Preciso me preparar, já que estamos à beira de uma provável insurgência.

Kira sempre levava seu trabalho a sério e pelo jeito, dessa vez não seria diferente. Descemos para o salão do hotel e ocupamos uma das mesas próximas à porta, de forma que me era permitido ter uma visão privilegiada de quem entrava e saía.

Tentei disfarçar a ansiedade para Kira não começar a me retalhar com perguntas, mas era impossível não olhar na direção da entrada a cada cinco minutos.

— Seu compromisso de mais tarde...

— Desculpe! Estava distraído. O que você falou?

— O compromisso que você tem mais tarde. É com a vampira, não é? — ela insistiu — Vai contar para ela sobre minha chegada e sobre a profecia?

— Na verdade, ela já sabe de uma parte da história. Vou apenas completar o que ela ainda não sabe, como por exemplo, sobre a sua chegada.

— Não entendo como você pôde se aliar com esses seres das trevas.

— Os sentimentos que experimentamos aqui são maiores que nós mesmos, Kira. Entendo que você se mantenha reticente quando se trata das leis lá de cima. Mas, se essa guerra acontecer e sabemos que ela vai, não só os seres humanos correrão risco de extinção.

— Não seria mais fácil se o próprio Rafael montasse um exército e acabasse com isso?

— Eu acreditava que sim, isso seria o mais lógico a fazer, mas agora compreendo a intenção de Rafael. Nunca houve uma insurgência fora dos domínios celestes. Para que entrasse nessa batalha, seria preciso deslocar uma grande quantidade de guerreiros para a terra. Grande o suficiente para deixar os Céus desfalcados, vulneráveis a um ataque. Sabemos da dificuldade que é entrar em nosso mundo original, mas não sabemos que tipo de truques Azazel dispõe, nem quais são seus verdadeiros planos. Aliás, depois da traição de Claire, somos forçados a trabalhar com a hipótese de que haja outros dispostos a se unir a Azazel.

— Você é astuto, Johnatan e sempre foi um bom estrategista. Ainda me pergunto como é possível que tenha caído.

— O que importa é que Rafael mandou você para ajudar, o que significa que, de algum modo, ele ainda confia em mim. Ele sabe que posso mudar o rumo dessa história. Está me testando uma última vez, Kira e não pretendo decepcioná-lo.

— Mas, não é só isso que está te preocupando, não é mesmo? Posso sentir a tensão em você, General. O que está acontecendo? Que parte disso tudo ainda não me contou?

— Nada importante.

— Posso não ser tão forte quanto você, mas não subestime minha inteligência.

— Ainda não tenho certeza e não quero preocupá-la sem necessidade. Já temos muito no que pensar.

— Fui enviada para enfrentar uma guerra que pode levar a extinção da raça humana. Isso sem falar na possível convivência com seres de uma raça que desprezo totalmente, e você não quer me preocupar? Só pode estar brincando.

— Ok! Já entendi que não vou conseguir me livrar de você se não contar.

— Não vai mesmo.

— Ontem aconteceu uma coisa muito estranha. Estava em uma cafeteria e senti uma presença forte, mas quando localizei a fonte, ela desapareceu. Era um humano, mas não consegui rastreá-lo e ao voltar para o interior da cafeteria, a mulher com quem eu conversava também havia sumido.

— E você acha que eles estavam lá para observá-lo?

— Tenho certeza que sim, só não entendo por quê.

— Não faz ideia de quem sejam?

— A mulher era humana. Tenho certeza disso. Foi colocada lá apenas para me distrair. Mas o homem... Havia alguma coisa nele. Senti uma aura negra a sua volta, mas não tive tempo para identificar. Havia muita gente na cafeteria e você sabe como isso pode ser usado para camuflar a energia.

— Johnatan, não devia esconder esse fato de mim. Preciso estar ciente de tudo ou não serei útil.

— Sei que estamos em estado de alerta e que qualquer detalhe pode ser importante. Não estou ignorando o perigo. Mas, se os caídos me quisessem morto já teriam providenciado. Tiveram oportunidade e não fizeram, porque acreditam que serei mais útil vivo, para concretizar a profecia. Acredito que estão apenas vigiando meus passos.

— Mas, então?

— Sinto que tem mais alguma coisa acontecendo e que ainda não sabemos.

— Acha que pode ter algo a ver com os vampiros com quem você se envolveu?

— Não sei, mas pretendo descobrir em breve.

— Certo. E o que faremos até lá?

— Eu preciso conversar com Carlie e você... sugiro que não saia das dependências do hotel por hoje. Ao menos, até que eu possa acompanhá-la.

— Não se preocupe. Não tenho nenhuma intenção de sair por aí sozinha. Além do mais, preciso fazer contato e relatar a situação que encontrei aqui.

— Bem, se já terminou, acho melhor retornarmos. Carlie já deve estar chegando.

Depois de me certificar que Kira estava segura em seu quarto, segui para meu andar. Já passava das dez da manhã e Carlie não era de se atrasar. Mas já fazia muito tempo desde que nos separamos e a verdade é que eu pouco sabia sobre seus hábitos atuais.

Olhei mais uma vez para o relógio e constatei que já era quase meio dia. Esperar nunca foi meu forte e aquele atraso já passava do limite. Algo estava errado e eu precisava saber o que era.

Peguei o telefone e disquei mais uma vez o número do celular dela, imaginando que Donovan poderia ter descoberto sobre nosso encontro e tentado impedir que ela viesse até o hotel, apesar de saber que essa seria uma tarefa um tanto difícil, até para aquele vampiro arrogante.

Eu conhecia muito bem o temperamento de Carlie e sabia perfeitamente que quando ela quer uma coisa é praticamente impossível detê-la.

Aguardei alguns segundos e em resposta, ouvi apenas a gravação da caixa postal. Então, pensei na possibilidade dela ter sigo pega por algum dos caídos. Mas não fazia sentido. Se algo assim tivesse acontecido Elise já teria me procurado.

Aquilo não tinha lógica. Carlie estava tão ansiosa quanto eu para ter essa conversa e deixar o celular desligado por toda manhã, simplesmente para fugir do nosso encontro, não fazia seu estilo. Foi então que tive a visão da criança.

Um corredor escuro se abriu a minha frente e lá estava ela. Era pequena, provavelmente três ou quatro anos, e fazia sinais com as mãozinhas, como se estivesse me chamando.

— Quem é você? — Perguntei, me aproximando devagar. Mas ao invés de responder ela correu, afastando-se de mim.

Segui pelo corredor, me aproximando do local onde a criança de cabelos negros havia parado e só então percebi a expressão angustiada em seu rosto.

A menina apontou para um canto mais adiante e notei uma marca em forma de meia lua em sua mão. Mas ao acompanhar a direção de seu olhar, fui dominado pelo desespero.

Carlie estava desmaiada, caída no chão, praticamente morta. Um buraco podia ser visto em seu peito e o sangue jorrava sem cessar.

Voltei a buscar a criança, mas ela havia sumido e antes que tivesse chance de reagir, a imagem se desfez e eu estava novamente sozinho no quarto do hotel.

Procurei entender o significado daquela aparição, tentando controlar o choque que a imagem me causou. Mas a única coisa que eu tinha certeza naquele momento, é que algo muito grave tinha acontecido com Carlie.

Imediatamente liguei para o apartamento de Elise.

— Johnatan, então era com você que ela ia se encontrar essa manhã?

— Era Elise, só que ela não apareceu e eu preciso saber onde Carlie está.

— Então, você ainda não soube?! — A frase soou mais como uma constatação do que uma pergunta.

— Não soube do que, Elise? Fale de uma vez! O que aconteceu com Carlie?

— Acho melhor você vir até aqui.

O tom na voz de Elise não deixava dúvida. O que quer que tenha acontecido com Carlie, era mais grave do que eu poderia supor.

— Estarei aí em quinze minutos.

Passei a mão na chave do carro, que estava sobre a mesinha ao lado da cama, e corri para a garagem do hotel, agradecendo intimamente pelo trajeto até o edifício onde Elise morava ser curto, o que me permitiria chegar rápido, apesar do transito intenso da hora do almoço.

Em poucos minutos, cruzei para o outro lado do canal e estacionei em frente ao prédio. Subi a escada, de dois em dois degraus. Antes mesmo que tocasse a campainha Elise abriu a porta.

Os olhos avermelhados, de quem esteve chorando e a maneira como ela apertava as mãos, uma na outra, confirmaram minha suspeita.

— Johnatan! Eu não sabia que o encontro era com você ou teria te avisado antes.

— Mas afinal, o que aconteceu com Carlie?

— É melhor você entrar. Não devemos ter essa conversa no corredor.

Aceitei o convite e me acomodei no sofá ao lado de Elise, ouvindo perplexo ela relatar os fatos da noite passada. Imediatamente recordei o estranho que me observava, parado na porta da cafeteria. Algo me dizia que havia uma ligação entre ele e o que aconteceu com Carlie.

— Onde ela está agora?

— Na casa de Donovan. Ficará lá até despertar do torpor.

— Preciso vê-la — declarei me pondo de pé. — Você vem comigo?

— John, espere! — Elise segurou meu braço, me detendo antes que tivesse a chance de alcançar a porta. — Não pode simplesmente entrar lá e invadir o quarto de Donovan. Os Among Us estão por toda parte, além dos homens que trabalham para Donovan. Você não chegaria à metade do caminho.

— Eles não podem me impedir de vê-la.

— Não está entendendo, John. Enquanto não encontrarem o caçador, estamos sob ameaça. Eles matarão qualquer um que tente entrar na casa. Você morrerá, antes mesmo que Donovan saiba da sua presença.

— Não se você me levar até lá.

— Não! Nem pense nisso. Aí, eu é que serei morta e pelo próprio Donovan.

— Elise, por favor, eu preciso ir até lá. Não ficarei tranquilo até ter certeza que ela está bem. Tenho que vê-la.

Ela me analisou intensamente antes de responder.

— Provavelmente, vou me arrepender do que estou prestes a fazer, mas se quer mesmo ir até lá, só há uma pessoa que pode conseguir isso.

— Então, vamos procurar essa pessoa.

— Calma! Sente-se e me dê um minuto. Vou ligar para ele e pedir que nos encontre aqui, mas você terá que convencê-lo.

Elise se retirou por um breve momento. De onde estava eu podia ouvir sua voz ao telefone e pelo pouco que pude entender da conversa, a pessoa do outro lado da linha estava reticente em atender seu pedido.

Alguns minutos depois ela retornou a sala, me oferecendo uma taça de vinho.

— Agora beba e acalme-se — declarou servindo outra taça para si mesma. — Ele virá, mas teremos que esperar um pouco, pois antes, ele precisa concluir alguns assuntos.

Quase uma hora depois, a campainha soou anunciando a chegada do vampiro, que segundo Elise, poderia garantir minha entrada segura na fortaleza que havia se transformado a casa de Donovan.

— Olá, Noah!

O homem se aproximou, depositando um beijo fraterno em sua testa como resposta ao cumprimento e em seguida dirigiu o olhar a mim.

— Então, esse é o seu amigo que precisa de ajuda?

— Johnatan Fallen! — Me antecipei, estendendo a mão para demostrar cordialidade, ainda que no primeiro momento tivesse minhas dúvidas de que um membro da casa dos Zarco estaria realmente disposto a me ajudar.

— Noah Zarco! Elise me falou sobre sua intenção de ir até a casa de Donovan. Se aceita um conselho rapaz, esse não é o melhor momento para esse tipo de demonstração de afeto.

Direto ao ponto. Apesar disso, percebi que as palavras não foram proferidas em tom de ameaça ou mesmo intimidação.

— Sei que deve estar a par de minha divergência com Donovan, mas talvez eu possa ajudar a encontrar o responsável pelo ataque.

— E porque acredita que pode localizá-lo antes de nós?

Havia conseguido despertar o interesse dele, mesmo que efêmero, em me levar até a casa. Sem perder tempo, contei sobre o ocorrido na cafeteria, no dia anterior ao ataque e sobre minha impressão diante do relato de Elise. Falei do encontro marcado com Carlie para essa manhã e ocultei propositalmente o motivo pelo qual íamos nos encontrar.

— Sua intuição pode estar no caminho certo. Não devemos desprezar nenhuma possibilidade. Mas, esteja preparado para dar mais que uma simples explicação, pois se Donovan aceitar ouvi-lo, certamente vai querer saber muito mais do que você deseja revelar.

— Então, vai me levar até lá?

— Posso garantir sua entrada na casa, mas não posso prometer que terá permissão de vê-la. Isso compete a Donovan e você já deve prever que ele não está em seu melhor humor. Então, se ele se recusar a recebê-lo, não poderei interferir.

— Conheço aquele vampiro o suficiente para saber que não serei bem vindo. Mas se você garantir minha entrada, o resto eu resolvo com ele.

— Mais uma coisa: uma vez lá dentro, farei o possível para que tudo transcorra civilizadamente, mas não serei responsável por sua segurança. Sendo assim, faça a gentileza de conter a rivalidade entre vocês. Temos um acordo?

— Fechado! Quando podemos ir?

— Preciso resolver alguns assuntos na cidade. Encontre-me aqui, em duas horas. E você vem conosco — Noah declarou, voltando-se para Elise. — Será bom ter mais alguém por perto para ajudar a acalmar os ânimos.

Dos desejos mais profundos nascem os ódios mais mortais.

Sócrates - filósofo

Capítulo 7
Na casa de Donovan

— Está na hora, não é?

— Eu preciso ir até lá, Kira.

— Ok! Mas tome cuidado — Kira se levantou do chão, onde estava sentada e seguiu até o local onde havia deixado a bolsa. — Espera John! Leve isto com você.

Olhei o estranho objeto que ela me entregou, junto com uma pequena adaga.

— O que é isso?

— É uma arma sagrada. Recebi de Rafael antes de partir. Ele disse que era para te dar e que você saberia o que fazer com ela.

Observei mais uma vez o objeto, girando-o entre os dedos antes de colocá-lo no bolso da jaqueta.

— Certo. Mas não acredito que vá precisar disso. Donovan pode ser instável, mas não fará nada contra mim. Além do mais, não faço a menor ideia de como isso funciona.

Kira não era apenas inteligente, mas muito rápida também e inesperadamente, arrancou a adaga de minha mão, levando-a ao meu peito, bem na direção do coração.

— Ficou louca? O que pensa está fazendo? — Reagi, segurando-a pelo braço para impedir que me atingisse.

Mas, antes mesmo que eu pudesse detê-la, o objeto adquiriu uma forma diferente. Moldou-se ao meu corpo como uma espécie de escudo, protegendo a área ameaçada pela adaga, que foi instantaneamente repelida sem causar nenhum dano, além de um bolso rasgado na jaqueta.

— Mas o que foi isso?

— Isso é uma égide. É uma arma nova, usada apenas pelos arcanjos. Liga-se instantaneamente a seu portador através das vibrações energéticas, protegendo o ponto mais vulnerável do corpo. Também serve para encobrir um ferimento durante a batalha, para que não se agrave, caso o inimigo tente atingi-lo novamente. Nesse caso, ela apenas obedeceu, quando você desejou que minha adaga não atravessasse seu peito — Kira explicou. — Mas Rafael disse que sua principal função é proteger algo que será muito importante para você.

— Como assim? — Perguntei confuso, sem entender o que poderia ser mais importante do que me proteger contra o ataque de Azazel durante uma batalha.

— Isso eu não sei. A única coisa que ele falou é que, no momento certo, você entenderá.

— Típico de Rafael. De qualquer forma, obrigado! E da próxima vez, tente avisar que pretende me atacar — retruquei antes de sair.

Quando estacionei novamente em frente ao prédio de Elise, Noah já estava a minha espera.

— Sugiro que você venha em meu carro. Assim, evitaremos que seja barrado pelos homens de guarda no portão. Elise pode nos seguir com o carro dela e trazê-lo de volta, caso necessite retornar antes para a cidade.

— Por mim tudo bem. Qualquer ideia que facilite minha entrada na casa será bem vinda.

— Vamos então! Já liguei para Donovan e avisei que estou a caminho.

Noah pouco falou durante o trajeto, deixando clara a tensão que se instaurara após o ataque. Era nítido que estava preocupado e não apenas pela situação de Carlie.

Ao chegarmos ao portão da mansão, entendi o motivo da recusa de Elise em me conduzir até lá sem a presença de Noah.

Dois sujeitos enormes e mal encarados, vestidos com alinhados ternos negros que pareciam de grife, se aproximaram cercando o carro. Noah acionou um botão no painel baixando o vidro. Pareciam mafiosos se cumprimentando e iniciaram uma rápida conversa.

— E Donovan onde está?

— Lá em cima, com a Princesa — o homem respondeu, usando o termo *princesa* como uma deferência respeitosa.

Cruzamos a longa alameda, que separa o portão da entrada da casa, e por toda parte era possível avistar vampiros guardando o território. Todos armados e prontos para enfrentar o ataque de um exército, caso fosse necessário.

Alguns portavam espadas ou adagas, e outros, pistolas e armas mais pesadas. A casa fora transformada em uma verdadeira fortaleza e pela informação que me foi passada por Elise, muitos daqueles homens pertenciam a organização Among Us. A mesma que nos atacou em Nova Orleans, mas que agora pelo visto, havia decidido apoiar Donovan, ao invés de lutar contra ele.

Estacionamos o carro próximo à entrada da casa e aguardamos Elise, que passou por nós, parando mais a frente. Ao subir as escadas, que davam acesso a um hall elegantemente decorado, fomos recebidos por mais um dos vampiros a serviço de Donovan, que me dirigiu um olhar especulativo, mas não fez nenhuma pergunta.

— Lord Noah! Senhorita Elise!

— Donovan está lá em cima?

— Sim senhor. Quer que envie alguém para chamá-lo?

— Não será necessário, vamos subir.

Atravessamos a imensa sala e ao alcançarmos a escadaria que levava ao andar superior, Noah deixou escapar um comentário perturbador.

— Acesso livre e direto até o quarto. Parece que você está com sorte rapaz.

— Eu não chamaria isso de sorte — Elise respondeu baixinho.

Noah deu duas batidas leves na porta e entrou, seguido por mim e por Elise. Donovan estava sentado sobre o colchão, recostado na guarda da cama, ao lado do corpo de Carlie. Sua mão alisava carinhosamente seu longo cabelo negro, como se o estivesse penteando com os dedos. O rosto inclinado para ela, refletindo uma mistura de admiração e agonia. Mas ao erguer a cabeça, sua expressão se alterou.

— O que *ele* faz aqui?

— Ele estava preocupado. Precisava vê-la.

— Precisava vê-la? — Grunhi, soltando uma risada sarcástica. — E você concluiu que eu permitiria.

— Ora, Donovan! Não seja intransigente — Noah retrucou. — Além disso, ele tem informações que podem ser úteis.

— Quer vê-la? É isso que você deseja? Então, venha. Ela está aqui. Olhe para ela e depois saia. Não o quero em minha casa, Fallen.

Sabia que aquela altura, o anjo estaria desejando ardentemente me acertar um murro, bem no meio da cara, e me regozijei secretamente, sentindo uma grande satisfação por ter alguém em quem finalmente poderia descarregar uma parte de minha ira.

Mas ele Ignorou minha atitude, demonstrando um controle muito maior do que eu mesmo era capaz de manter no momento e se aproximou da cama, vencendo em poucas passadas o espaço que nos separava.

Observou-a pelo que me pareceu um tempo longo demais. O olhar desconfiado, transparecendo o quanto estava aturdido por vê-la naquele estado.

— Ela parece... — fez uma pausa, hesitando em concluir a frase.

— Morta? — Completei.

— É...

— Está em torpor. O que você esperava?

Mais uma vez ele me ignorou e dirigiu a próxima pergunta a Noah.

— Como sabem que ela está bem? Quero dizer... como podem ter certeza de que ela ainda está viva?

E antes que qualquer um de nós pudesse responder, ele se inclinou, com a mão estendida em direção ao braço de Carlie. Sua proximidade com o corpo dela acentuou ainda mais o turbilhão de sentimentos que eu tentava controlar.

— Não toque nela! — Adverti — Pode despertá-la antes da hora.

— Pelo que sei você a alimentou, limpou, cuidou e vestiu. Deve ter tocado nela para isso, não?

— Estou meio sem paciência hoje — declarei irônico, dando as costas para Johnatan antes de prosseguir. — Será que alguém pode explicar pra ele?

— Carlie precisava entrar em torpor ou não sobreviveria à drenagem — Noah foi quem interviu. — Donovan teve que usar a ligação entre eles para induzi-la.

— E isso significa exatamente o quê?

A pergunta estúpida do anjo me deixou nitidamente irritado. Ainda de costas para o grupo, não me dei ao trabalho de responder, erguendo os braços no ar para demonstrar minha falta de paciência com tudo aquilo.

— Desculpe se não sou um grande conhecedor das peculiaridades de sua raça — ele esbravejou.

Desprezando totalmente minha reação, Elise encenou uma resposta, mas foi contida a tempo pelo olhar severo de Noah, que já previa onde aquela conversa iria chegar.

— Mesmo em torpor a ligação permanece, até que Carlie desperte — ele esclareceu. — Qualquer um de nós que tentar se aproximar será considerado uma ameaça, exceto Donovan. Ele tem o controle. É seu guardião agora. Em contrapartida, ela não o rejeita.

— Ou seja, enquanto estiver em torpor ela será o fantoche dele.

Aquilo já era demais. Cruzei o espaço que me separava de Johnatan, parando bem a sua frente. O olhar ameaçador e sombrio, deixando clara minha intenção.

— Acha mesmo que a estou tratando como um fantoche? — Proferi cada palavra encarando-o fixamente, desafiando-o a responder. — Talvez queira ser meu fantoche por um tempo, para saber qual é a diferença.

Minha paciência, que já estava por um fio, esvaiu-se de vez. Com as duas mãos no peito de Johnatan, empurrei-o de encontro à parede. Mas ele foi ágil em revidar, agarrando um de meus braços e girando o corpo. O soco, que deveria acertá-lo em cheio, resvalou, atingindo o concreto duro e deixando uma rachadura profunda no local. Mas Johnatan não estava disposto a recuar e com um chute, me arremessou na cadeira, que se desfez em pedaços.

Deixei que se aproximasse o suficiente e quando o anjo alcançou a distância ideal, plantei os pés em seu peito, lançando-o no ar e antes mesmo que ele voltasse a tocar o chão, eu já estava de pé, pronto para transformar o quarto em uma arena de sangue.

Imediatamente Noah se pôs entre nós, enquanto Elise puxava Johnatan pelo braço, arrastando-o em direção a porta.

— Me solte Elise! Não tenho medo das ameaças dele.

— Sei que você não tem. Esse é o problema.

— Leve-o daqui, antes que eu o mate com minhas próprias mãos.

— Parem com isso já! — Noah se aproximou, colocando as mãos em meus ombros para me deter. — Esse não é o local nem o momento para acertarem suas diferenças. Terão tempo pra isso depois. Agora temos assuntos mais importantes para tratar. Se continuarem com essa luta absurda, vão colocá-la em perigo.

Olhei para a desordem no quarto e me voltei para a cama, onde o corpo de Carlie permanecia inerte. Sabia que Noah tinha razão. Precisava controlar a raiva, ao menos até localizarmos o caçador.

— Que aroma é esse? — Johnatan interrompeu o discurso de Noah. — Lembra algo familiar...

— O perfume de um campo de lavanda. Como os de Provence, na França — respondi, inspirando profundamente, sentindo a tensão em meu rosto se suavizar. — Até nisso ela é especial.

— É ela que está produzindo esse perfume? — O anjo perguntou, quase sem poder acreditar no que ele próprio sentia.

— É a forma que encontrou para avisar quando tem sede. Preciso alimentá-la de novo. Já consumiu metade do estoque que chegou essa manhã.

— Esse é um bom sinal — Noah exclamou tranquilizando-me. — Não demorará muito para que se restabeleça.

— Assim espero! Então, terei oportunidade de pôr minhas mãos no infeliz que ousou atacá-la.

— Elise, leve Johnatan para a sala e sirva uma bebida ao nosso convidado. Eu desço em seguida.

A autoridade com que Noah proferiu as palavras, não deixava margem para questionamento.

— Venha, John. Por favor! Vamos aguardar lá embaixo.

— Era só o que me faltava agora — protestei, ao vê-lo sair do quarto levado por Elise. — Já não basta ter que aceitar a presença dele na casa, agora vai servir meu uísque pra ele também?

— Sei que está no limite, mas precisa se controlar.

— Sua atitude, trazendo-o até aqui, realmente está ajudando muito.

— Eu o trouxe por um único motivo. Talvez ele saiba onde encontrar o caçador e você precisa admitir que ele o deseja morto, tanto quanto nós.

— Foi isso que ele disse para convencê-lo?

— Está permitindo que o ciúme nuble sua razão. Deveria ao menos ouvi-lo, antes de tirar conclusões.

— Se você faz tanta questão...

— Alimente-a, controle sua ira e depois, se junte a nós. Estaremos esperando na sala — Noah concluiu, dando-me as costas.

Dependendo da circunstância, um inimigo pode valer mais que um amigo.

Catia Mourão - escritora

Capítulo 8
A aliança

— Tome! Beba isso — Elise se aproximou oferecendo um copo de uísque — Você não deveria provocá-lo, John. O que pretendia com tudo aquilo?

— Não posso permitir que ele a controle dessa maneira. Eles não estão mais juntos e você sabe perfeitamente o quanto era importante para ela se manter distante.

— Aceite minhas desculpas pelo que ocorreu lá em cima — Noah entrou na sala interrompendo a conversa. — Donovan está muito alterado pelo que aconteceu à Carlie e tem perdido a calma com facilidade.

— O que não é nenhuma novidade. Ele sempre foi esquentadinho.

— Precisa entender que na atual circunstância ele é o único vínculo de Carlie com o mundo. Imagino o quanto deve ser difícil para você compreender. Mas até que ela desperte, eles serão um só e Donovan não permitirá que nada nem ninguém a incomode.

Respirei fundo, tratando de apaziguar meu íntimo, para dar um rumo diferente àquela conversa. Noah demonstrava boa vontade frente aos inconvenientes que a situação nos impunha e ainda tínhamos uma questão importante para resolver.

— Se importa de me contar o que vocês descobriram até agora?

— Bem menos do que gostaríamos de admitir — Noah respondeu, servindo-se de uma dose. — Seguimos o rastro do caçador até as proximidades de Odense, mas o perdemos.

Sentamos no confortável sofá de couro, que ficava próximo a janela, enquanto ele explicava em detalhes a operação montada pelos vampiros para tentar localizar o responsável pelo ataque.

— Pelo que sei, ele já pode ter cruzado a fronteira para a Alemanha.

— Ou estar entocado em algum buraco mais ao norte, como um rato assustado que sabe que está sendo caçado.

A voz de Donovan, que acabara de entrar na sala, me surpreendeu.

— O que não entendo é como ele conseguiu se ocultar de nossos rastreadores. Já deveríamos ter localizado seu esconderijo, mas é como se alguém estivesse encobrindo seus passos.

— Donovan acredita que ele está recebendo ajuda de algum digamos, não humano, para se ocultar de nós — Noah esclareceu.

— Talvez ele tenha razão.

— Concordando comigo, Fallen? Que novidade é essa agora?

— Antes de explicar preciso confirmar uma suspeita.

— Se quiser ser útil por aqui diga logo no que está pensando.

Diante do que acabara de acontecer, achei melhor ir direto ao ponto.

Em um relato breve falei sobre a profecia. Contei o estranho episódio com o homem que me observava na cafeteria e a maneira como ele desapareceu, ocultando sua energia misteriosamente.

— Isso aconteceu pela manhã e a noite, Carlie foi atacada. Algo me diz que esses fatos estão relacionados.

— E porque um grupo de caídos se envolveria com um caçador de vampiros? O que não está nos contando?

— Eles sabem o quanto Carlie é importante para mim — respondi, ignorando a expressão furiosa que se formava no rosto de Donovan — Além disso, ela estava fazendo uma pesquisa sobre a profecia.

— Curioso! — Noah interrompeu. — Que interesse Carlie poderia ter nessa profecia?

— Tudo bem! Conseguiu ganhar minha atenção — Donovan declarou — Agora pretende nos presentear com detalhes ou vai ficar enrolando pelo resto do dia?

Aquele vampiro arrogante tinha mesmo o dom de me tirar do sério, mas prometi a Noah que não iria aceitar suas provocações. Por isso, e pelo bem de Carlie, fiz um esforço e esclareci de uma vez o que estava acontecendo.

— Segundo ela, existem algumas semelhanças entre a profecia dos anjos e o que consta nas escrituras de sua raça.

— O que acha disso, Noah?

— Preciso averiguar para poder afirmar com certeza, mas pelo que me lembro do livro das leis, essa teoria não é totalmente absurda.

— Íamos nos encontrar essa manhã para trocar informações, mas ela não apareceu.

— Foi por isso que Johnatan me procurou — Elise, que estivera calada durante toda a conversa, se manifestou. — Eu contei a ele sobre o ataque da noite passada e pedi a Noah que o trouxesse até aqui.

— Você sabia que Carlie estava envolvida nisso e não me falou nada? — Donovan interpelou Elise exasperado.

— Não! Eu não sabia de nada disso até agora. A única coisa que sei é que, desde que deixou sua casa, Carlie não largava aquele computador. Mas ela dizia que estava procurando um apartamento. Queria se mudar, ter um espaço que fosse só dela. E depois de tudo que aconteceu entre vocês, eu acreditei.

— Que ótimo! E por sua causa ela se colocou em perigo.

O comentário acusador foi dirigido a mim, mas antes que desse uma resposta à altura, o que provavelmente deixaria as coisas ainda piores, Noah interferiu com seu senso diplomático e objetivo.

— Será que podemos manter o foco? Se os caídos que você mencionou estão ajudando a ocultar o caçador, vai ser muito difícil localizar seu paradeiro, mesmo para nossos rastreadores. E pelo que acabou de contar, precisamos trabalhar com a possibilidade de que ele não seja humano.

— Humano ou não, vou encontrá-lo e quando o fizer, não sobrará muito dele para alguém lamentar — Donovan esbravejou.

— Acho que posso localizá-lo, mas vou precisar da ajuda de alguém que esteve próximo a ele.

Ao dizer isso, desviei o olhar para Elise. Até onde eu sabia, ela era a única presente no momento do ataque. Nutri uma pequena esperança de que tivesse tido tempo suficiente para observá-lo, antes de socorrer Carlie.

— Eu faço o que for preciso — ela declarou —, mas sinceramente, não vejo como poderei ajudar. Tudo aconteceu muito rápido. Não tive chance de me aproximar.

— Acho que nosso amigo está ciente desse fato, mas se ele acredita que existe uma chance, é porque tem algo em mente. Por favor, nos esclareça sobre seu plano, Johnatan.

Noah era sem dúvida a pessoa mais centrada naquela sala e agradeci secretamente por Elise ter insistido em recorrer a ele.

— Posso tentar rastreá-lo nos sonhos. Em algum momento ele precisará dormir, e se for humano, isso não demorará muito para acontecer. Mas para que dê certo preciso vê-lo, tentar captar sua energia através das lembranças de Elise.

— Está dizendo que quer entrar na minha mente?

— Essa seria uma maneira muito rudimentar de explicar. Mas sim, pode-se dizer que é isso.

— Acho que vale a pena tentar, mas com uma condição.

Por um segundo, tive a impressão de ver um brilho azul iluminar os olhos de Donovan, e já o conhecia bem o suficiente para saber o que aquilo significava.

— E qual seria?

— Se tiver sucesso, vai me informar onde ele está e garantir que permanecerá por lá até que eu chegue. Pode usar dos métodos que bem entender, mas ele morrerá pelas minhas mãos. Temos um acordo, Fallen?

Encarei Donovan firmemente e tive certeza que naquele momento dividíamos o mesmo sentimento. Éramos irmãos no desejo de vingança. Estendi a mão para confirmar o pacto silencioso que selávamos com o olhar.

— Temos uma aliança, Hunter.

— Ótimo!

— Imagino que precisará de alguns preparativos para o que pretende fazer.

— Espere aí, Noah! — Elise protestou. — Você não pode estar de acordo com isso.

— E porque não estaria?

— Será que não estão esquecendo alguma coisa?

— Não entendo aonde quer chegar. O plano de Johnatan me parece uma boa alternativa. A melhor que temos no momento.

— É, mas eu não sei se quero um caído dentro da minha cabeça. Desculpe John! Não é nada pessoal, mas essa ideia me soa muito desconfortável.

— Elise, preciso que confie em mim. Sem a sua ajuda não teremos nenhuma chance de sucesso.

Ela me olhou desconfiada. Podia captar facilmente as várias emoções que permeavam sua energia, indo da ansiedade ao medo.

— Pergunte!

— Como assim?

— Sei que está com várias dúvidas. Vamos, pergunte. Prometo responder a cada uma de suas perguntas.

— Tá legal! Isso não vai doer? Vai?

— Não. Fique tranquila — sorri, achando graça pela primeira preocupação que ela verbalizou. Lembrava uma criança antes de algum procedimento médico.

— Não ria! Isso não é engraçado. Ao menos, não para mim.

— Desculpe! O que mais quer saber?

— Eu preciso dormir pra você fazer isso?

— É mais rápido assim, mas se não se sentir à vontade, podemos tentar com você acordada.

— Tudo bem! Mas tem que prometer uma coisa:

Elise estava tão apreensiva que pude ouvir a pergunta sendo formulada em sua mente, antes mesmo que a pronunciasse.

— Prometo que não vou invadir sua privacidade. Não me deterei em nada que não diga respeito aos acontecimentos da noite passada. Mas preciso vasculhar o intervalo entre a chegada de vocês na boate e o momento do ataque. Tudo bem?

Ela hesitou por um momento, certamente ponderando se deveria levar em conta a promessa de um caído, até que finalmente balançou a cabeça concordando.

— Só mais uma coisa: quando faremos essa incursão por minhas lembranças?

Olhei para Donovan, inquirindo-o em silêncio.

— Já é quase noite. Sugiro aproveitarmos que estão todos aqui e resolvermos essa questão hoje mesmo.

— Por mim tudo bem, mas necessito de um espaço tranquilo, onde possa me concentrar. E se Elise ficará acordada, vai precisar relaxar também ou não dará certo.

— Isso não será problema. Tenho alguns quartos sobrando. Vou mandar preparar um agora mesmo. É só dizer do que precisa.

Aquele que luta com monstros deve acautelar-se para não tornar-se também um monstro. Quando se olha muito tempo para o abismo, o abismo olha para você.

Friedrich Nietzsche - filósofo

Capítulo 9
A caçada

— Não está funcionando — declarei.

Elise permanecia de olhos fechados. Estava deitada, quieta, totalmente relaxada; o quarto imerso na escuridão, que era quebrada apenas pelo bruxulear de uma vela sobre o aparador. Mas apesar disso, ela não conseguia tranquilizar a mente o suficiente para que eu pudesse completar a ligação.

O tempo era fator crucial e já tínhamos perdido horas preciosas naquela tentativa vã. Só havia uma maneira de fazer aquilo dar certo e eu sabia qual era.

Dirigi um olhar silencioso a Donovan, que observava encostado ao batente da porta. Ele entendeu a mensagem e meneou a cabeça em aprovação.

Reclinei sobre a cama, sussurrando no ouvido de Elise e em alguns segundos ela adormeceu.

— Quando ela despertar você estará em apuros — Donovan comentou, se divertindo com a ideia.

— Sei disso, mas não podemos perder a noite toda. Além do mais, pretendo manter minha promessa. Não vou vasculhar a mente dela. Só vou buscar o que preciso e depois saio.

— Já presenciei algumas induções dos caídos, mas devo confessar que nenhuma foi tão rápida.

— Minha capacidade o surpreende, Hunter?

— Digamos que se saiu melhor do que eu esperava.

— Deixe-a dormir. Preciso que ela fique assim por algumas horas. E por favor, feche a porta ao sair.

— Vou ver como Carlie está. Se precisar de alguma coisa é só chamar — Donovan respondeu, desaparecendo em seguida.

Afastei o aparador, que compunha a decoração do quarto e sentei no chão, colando as costas na parede em frente à cama onde Elise dormia. Fechei os olhos e me concentrei no que estava prestes a fazer. Não demorou muito e a primeira cena surgiu a minha frente.

Carlie saía do bar de mãos dadas com Elise. A rua estava praticamente deserta e o vento frio da noite a fez puxar a gola da jaqueta, para cobrir o pescoço. O movimento foi imediatamente seguido por uma expressão de susto, ao mesmo tempo em que uma mancha vermelha brotou em seu peito, em torno do local onde a estaca se cravou. Elise olhou para Carlie aturdida e vasculhou ao redor, buscando o responsável pelo ataque.

De minha posição, pude ver perfeitamente a direção de onde a estaca foi projetada, certeira e rápida como um tiro. O olhar de Elise se fixou no caçador e por um segundo se encararam. Ela parecia indecisa entre ir atrás dele ou socorrer Carlie, até que se resolveu pela segunda opção.

Desviei o olhar da cena em frente à porta do bar, a tempo de vê-lo enfiar algo parecido com um arco de caça em uma mochila e correr, desaparecendo ao dobrar a esquina. Por mais difícil que fosse assistir aquela cena, eu precisava ver mais uma vez para confirmar minha desconfiança.

Busquei uma posição mais favorável e senti um arrepio percorrer minha espinha, poucos segundos antes de vê-lo arremessar novamente a estaca.

Se ainda tinha alguma dúvida sobre a participação dos caídos naquela trama, ela acabara de se dissipar. O caçador e o estranho que me observara na porta da cafeteria há alguns dias, eram a mesma pessoa.

Forcei-me a controlar a emoção. Precisava saber até onde ia tudo aquilo. Voltei algumas horas, até o momento em que Elise e Carlie chegaram ao bar, e vasculhei o ambiente a procura de alguma pista que revelasse o que estava prestes a acontecer.

Não demorou muito e o localizei. Ele entrou no bar alguns minutos após a chegada delas. Sabia exatamente onde estariam àquela noite e ocupou um banco alto, próximo ao balcão, onde o barman preparava os drinks. Ficou a espreita, observando, enquanto elas dançavam e bebiam, aguardando o momento certo para agir. Saiu assim que percebeu que elas se preparavam para deixar o bar.

Com certeza a informação foi passada por algum caído, que devia estar vigiando os passos de Carlie ou mesmo de Elise.

Desfiz o transe, regressando ao quarto. Elise ainda dormia e, apesar de alguns suspiros e resmungos que emitiu durante minha intervenção em sua mente, estava tranquila. Achei melhor não acordá-la e saí do cômodo para procurar por Donovan, fazendo o mínimo de ruído.

Encontrei-o no quarto, sentado na beira da cama, onde Carlie continuava imersa em torpor. Não conhecia muito sobre aquele estado, tão exclusivo daquela raça antiga e peculiar, mas o que eu sabia era o suficiente para entender que ela travava uma luta solitária entre nosso mundo e o reino da morte.

Aquele pensamento me fez questionar alguns pontos sobre os quais nunca havia cogitado. Vampiros não faziam parte da criação original, eram uma aberração. Inimigos a serem combatidos. A tão alardeada eternidade para eles era, na verdade, uma ilusão transitória. Não havia esperança de eternidade para suas almas, nem para onde ir após a morte da carne. Constituíam uma raça destinada a morte eterna. Mas, ao vê-la naquele estado e ao mesmo tempo tão serena, plena de poderes que até então eu desconhecia, não pude deixar de questionar essa *verdade*. Onde será que ela estava agora? Esse mundo entre a vida e a morte definitiva, o que haveria nele para seres como ela?

— Pretende ficar aí de pé observando por muito tempo?

O tom irônico com que Donovan proferiu as palavras me despertou.

— Acha que ela tem companhia?

— O que? — ele perguntou, voltando o rosto em minha direção com expressão confusa, como se não tivesse entendido minha pergunta.

— Lá, onde quer que ela esteja agora. O que acha que tem nesse lugar?

— Você deveria saber. Ou será que *Ele* esconde alguns segredos até de vocês?

Ignorei a pergunta desdenhosa de Donovan e me aproximei da cama.

— Você já esteve *lá* alguma vez? Quer dizer... já ficou em torpor por algum tempo?

— Não sei o que espera descobrir, mas posso garantir que existe muita coisa sobre nós que você desconhece. Agora chega desse papo e me diz: como foi com Elise? Conseguiu alguma pista sobre o paradeiro do maldito?

— Não, mas agora o conheço. Sei quem está por trás do ataque e também sei onde procurá-lo.

— E o que está esperando?

— Não é tão simples assim. Vou precisar de algum tempo. Mas tenho uma ideia e se fizermos tudo certo pode funcionar.

Contei o que havia descoberto sobre o caçador e detalhei meu plano para Donovan. Os próximos passos teriam que ser precisos, se quiséssemos alcançá-lo antes que tivesse chance de fugir.

A parte mais difícil seria convencer Kira. Eu sabia que ela não demonstraria boa vontade em colaborar com os vampiros, mas sua ajuda era crucial para o sucesso do plano.

— Vou manter um de meus homens de plantão na frente do seu hotel, aguardando o sinal de sua amiga — Donovan concluiu. — Diga para ela passar o endereço a ele. Eu me encarregarei do resto.

— Terá que agir rápido. Não sei por quanto tempo poderei segurá-lo, antes que os caídos percebam o que está acontecendo e interfiram.

— Estarei pronto no momento em que receber seu recado e nem um segundo a mais.

— Ótimo! Agora preciso voltar ao hotel.

— Vou mandar um de meus homens levá-lo.

— Está me pedindo para servir de garota de recado para seus amigos vampiros, sem ao menos explicar o motivo?

— Acredite em mim. É melhor você não saber os detalhes.

— Não quer me contar porque sabe que eu não aprovaria.

— Por favor, Kira! Preciso da sua ajuda. Você é a única com capacidade para se comunicar comigo quando estiver em transe. Não posso confiar em mais ninguém. É só permanecer por perto e quando eu localizar o que procuro, farei contato com você.

— Quanto tempo isso vai durar?

— Uma hora, um dia. Sinceramente não sei. Tudo que peço é que receba o endereço que vou te passar e entregue imediatamente a pessoa que estará aguardando lá embaixo.

— Ao vampiro que estará lá embaixo, você quer dizer.

— Sim. Ao vampiro. Mas não precisa nem falar com ele se não quiser. Anote o endereço e entregue pra ele. Ele saberá o que fazer. Depois disso, não volte aqui. Vá para seu quarto e me espere lá. Eu aviso quando tudo acabar.

— Não precisa! Só farei o que me pede porque estou sentindo o seu desespero. Sei o quanto ela é importante para você, mas não me envolva nisso. Seja lá o que for não quero saber. Vou entregar sua mensagem e voltar ao quarto para dormir — Kira concordou contrariada.

— Obrigado! Sei que estou pedindo mais do que deveria.

Quarenta e oito horas se passaram, e eu começava a questionar se tinha sido ingênuo e me precipitado, ao acreditar que o anjo poderia localizar o caçador através de seus poderes. Não devia ter apostado tudo naquele plano, que agora me parecia estúpido e ineficaz. Estava a ponto de ordenar aos soldados da Among Us que retomassem a busca pelo esconderijo, quando a celular tocou.

— Hunter.

— Senhor, a amiga do caído fez contato.

— E já temos a localização?

— Temos sim e não fica muito distante de onde perdemos o rastro do caçador.

— Ótimo! Pegue dois homens e me encontre lá. Estou a caminho.

— Ok! Estou enviando a mensagem com o endereço agora mesmo.

Agachei sobre o corpo semiadormecido. A perna esquerda imobilizando o peito, enquanto o joelho pressionava a garganta. Um par de olhos amendoados me encarou e imediatamente o desespero surgiu no rosto do homem abaixo de mim.

— Como me encontrou aqui?

(Silêncio...)

— O que quer comigo?

Em resposta, aumentei a pressão do joelho em seu pescoço e ele engasgou no meio da frase.

— Saia de cima de mim!

— Algum problema?

— Está me sufocando. Não consigo respirar.

Encarei-o fixamente por um momento e inclinei a cabeça, como se demorasse a entender o motivo de sua queixa.

— Ah! Isso? — Baixei os olhos em direção ao joelho. — Isso não é nada. Garanto que pode ficar bem pior.

Abri as enormes asas negras. Meus olhos tornando-se tão vermelhos, quanto o sangue que corria em suas veias.

Consciente de que naquela posição eu parecia ainda maior para ele, estiquei o tronco propositalmente, aumentando ainda mais a ilusão e invadi sua mente, transportando-o subitamente para dentro do cenário que eu havia criado.

Embaixo de mim, o humano sufocado se debatia na cama tentando se soltar, enquanto as paredes do quarto desapareciam diante de seus olhos, dando lugar a um abismo negro, no fundo do qual, borbulhava um rio de lava incandescente.

Uma espessa fumaça invadiu o ambiente, fazendo seus olhos lacrimejarem involuntariamente, acompanhada do cheiro de carne em decomposição que impregnou suas narinas.

O homem moveu os lábios, numa tentativa desesperada de barganhar por sua vida. No mesmo instante, bloqueei suas cordas vocais, impedindo que qualquer som escapasse por sua garganta.

Com os punhos cerrados ele tentava me atingir, mas suas mãos atravessavam a projeção de meu corpo. Para ele, eu não era nada mais do que um fantasma. Um espectro, capaz de interagir com seu corpo físico e até matá-lo, se assim o desejasse.

Mas não era essa minha intenção. Tinha feito um pacto com Donovan e por mais tentadora que fosse a ideia de acabar com a vida daquele miserável, não seria eu a desonrá-lo.

Novamente ele tentou me acertar. Dessa vez me atacando com as mãos em forma de garra, como quem pretende agarrar qualquer coisa que surja no caminho.

— Estou começando a perder a paciência com você — declarei, fazendo com que a fumaça se elevasse e o atingisse em cheio.

Ele tossiu e seu rosto perdeu o tom avermelhado, passando a uma cor pálida, quase sem vida. Tentou se debater, buscando se agarrar a qualquer custo ao resquício de ar que lhe restava, mas àquela altura, eu já havia tirado toda sua capacidade de reação, paralisando totalmente seu corpo.

— Porque está me olhando assim? — Perguntei, exibindo um sorriso maligno. — Ah! Desculpe minha falha. Você não pode responder. Quase me esqueci! Talvez seja melhor colocarmos logo um fim nisso. O que acha?

Liberei um pouco a respiração, apenas para garantir que ele não morresse ainda. Mas o mantive sem fala e sem movimentos.

Naquele momento, o som de carros se aproximando e uma freada brusca, revelaram que Donovan havia chegado.

A casa era pequena e sombria. Parecia abandonada. Mas eu sabia que ele estava em algum lugar lá dentro, com a mente confusa e torturada pelas alucinações causadas pelo anjo.

— Vocês aguardam aqui e matem qualquer um que tente interferir — ordenei aos soldados da Among Us antes de entrar.

Cruzei a sala e segui por um corredor escuro que conduzia a outros cômodos. Um cheiro enjoativo de resto de comida, misturado ao odor de urina que vinha do banheiro, me atingiu. Mais alguns passos e o encontrei.

Estava deitado sobre a cama, o rosto contorcido de dor. Um sorriso sádico brotou em meu rosto ao ver aquela cena. O anjo certamente estava fazendo um ótimo trabalho.

— Pode libertá-lo! — Declarei, sabendo que apesar de eu não vê-lo, Johnatan podia me ouvir. — Agora ele é meu. Se quiser, pode ficar e assistir.

No mesmo instante o caçador abriu os olhos e sua expressão passou do assombro a perplexidade.

— Levante-se rato! Não quero matá-lo deitado.

— Quem é você? O que faz aqui?

— Já mandei sair dessa cama!

Agarrei-o pelo pescoço, obrigando-o a ficar de pé no meio do quarto imundo.

— É por causa daquela vadia sugadora de sangue? É por isso que está aqui?

— Você acabou de cometer outro erro — respondi; e antes que ele pudesse piscar, me posicionei atrás dele, girando um de seus braços.

O som de ossos se quebrando foi seguido de um grito gutural, mas eu já estava novamente a sua frente, os ombros apoiados contra a parede, saboreando sua dor.

— Não devia ter chamado ela de vadia.

— Malditos vampiros! — Ele esbravejou.

Ignorei seu protesto.

— Aquela sugadora de sangue é uma princesa e é minha mulher.

Voltei a cruzar o cômodo como uma sombra e no mesmo instante, sua perna direita estalou, cedendo ao chute, confirmando que mais um osso havia se partido.

O homem foi ao chão, ficando de joelhos. Seus gritos agora eram de dor, mas também de desespero, imaginando que parte de seu corpo seria atingida a seguir.

Vasculhou o quarto, em uma tentativa insana de me localizar, mesmo sabendo que seus olhos não poderiam ser rápidos o suficiente para acompanhar meus movimentos.

— Volte aqui, seu vampiro desgraçado.

— Acha que seus amigos caídos vão ajudá-lo agora?

Outro golpe e mais ossos romperam, dessa vez na costela. O corpo vacilou, mas não permiti que caísse deitado. Ainda não. Parei em frente a ele, sustentando-o pelo pescoço com uma das mãos e com a outra, apertei o braço que ainda estava são, até sentir os ossos cederem sob meus dedos. Ele voltou a gritar e algumas lágrimas escorreram por sua face.

— Está gostando?

— Seu desgraçado! Por que não me mata de uma vez?

— E acabar com toda a diversão? Não! Tenho uma ideia melhor.

Comecei a esmurrar seu rosto, ainda segurando-o pelo pescoço. O sangue brotou acima dos olhos e pelo nariz, mas só serviu para atiçar ainda mais minha fúria.

— Tenho impressão de que não está se divertindo.

Mais um soco e alguns dentes voaram pelo quarto. Foi então que senti o perfume de lavanda. Era tão forte e real em minha mente quanto seria se ela estivesse ao meu lado. Olhei firme no que restava dos olhos do caçador.

— Eu adoraria ficar aqui e quebrar, um por um, os ossos de seu corpo, mas ela está me chamando. Seu tempo acabou.

Cravei as prezas em seu pescoço, drenando-o por longos segundos e então, arranquei o coração de seu peito com a mão livre e soltei o corpo, que caiu produzindo um estrondo.

Saí do quarto sem olhar para trás, a camisa ensopada de sangue e seu coração em minha mão.

— Atire para os cães! — Declarei ao cruzar a porta, entregando o coração a um dos vampiros que montavam guarda do lado de fora. Entrei no carro, apertando forte o volante e dei a partida.

Todos os homens buscam a felicidade. E não há exceção. Independentemente dos diversos meios que empregam, o fim é o mesmo.

Blaise Pascal - matemático

Capítulo 10

O despertar de Carlie

Os olhos azuis me prenderam no mesmo instante, com uma força atrativa quase impossível de resistir. Carlie estendeu os braços envolvendo meu pescoço e sua primeira frase me deixou aturdido.

— Seu cheiro está me deixando louca, meu Lord!

— Do que me chamou?

— Não é isso que você é? Meu Sir, meu criador?

Um sorriso espontâneo surgiu em meus lábios.

— Sim, mas... nunca imaginei que um dia se dirigiria a mim dessa forma.

— Não consigo imaginar o motivo — ela respondeu, levando minha mão até seus lábios —, mas isso não importa.

O movimento inesperado fez com que meu braço roçasse em seus seios. Senti a pele macia através do tecido fino da camisola e fui imediatamente arrebatado pelo desejo, ansiando por mais daquele contato, como se ela fosse uma droga alucinógena da qual eu estava incapacitado de abdicar.

Ela percebeu minha reação e pareceu determinada a não me dar trégua, cravando delicadamente as presas em meu pulso, enquanto aconchegava ainda mais seu corpo ao meu.

No mesmo instante, senti o êxtase me percorrer, roubando-me a razão por um segundo.

Soltei um gemido abafado.

Mas alguma coisa estava errada. Todo aquele ímpeto não combinava com sua atitude anterior ao ataque e eu precisava entender o motivo dessa mudança tão repentina.

— Ei! Calma, Princesa! Por mais que eu esteja gostando, preciso saber o que está acontecendo aqui.

— Estou com sede, Don — ela contestou, com aquele olhar suplicante que tinha o poder de me levar a fazer todas as suas vontades. — Na verdade, estou faminta.

— Isso já era esperado. Mas, e quanto àquela conversa de precisar de um tempo sozinha?

— Não sei onde eu estava com a cabeça quando disse aquilo — respondeu com expressão confusa, como se não lembrasse o motivo pelo qual decidiu se afastar —, mas estou aqui. Despertei e me sinto compelida a permanecer ao seu lado. Preciso de você em minha vida.

Então, era isso. Maldita compulsão!

O feitiço havia se virado contra o feiticeiro. Ela ainda estava sob o efeito do domínio que usei para induzi-la ao torpor. Agia por pura indução e por mais tentadora que fosse a ideia de tê-la de volta, um frustrante sentimento de decepção me invadiu.

Por um momento, cheguei a pensar que ela realmente havia mudado de ideia sobre nós, mas tudo não passava da força do domínio. Como pude ser tão estúpido, a ponto de me esquecer disso?

— Minha Princesa! O que eu faço com você?

Sabia que se a alertasse ela negaria e faria de tudo para manter a ligação. Mas seria apenas o reflexo involuntário de uma vítima, induzida a realizar os desejos daquele que a subjugava.

O olhar ansioso com que me espreitava, aguardando por uma reação que demostrasse que eu também a desejava, tornava tudo ainda mais difícil.

Decidido, tomei a única atitude que me permitiria sair daquela situação com alguma dignidade, antes que me arrependesse e voltasse atrás.

— Carlie... — chamei-a pelo nome propositalmente, enquanto fixava o olhar. — O que sinto por você não mudou em nada, mas preciso te liberar.

— Eu não quero que me libere!

— Vai pensar diferente depois que estiver livre.

— Por que está fazendo isso, Don?

— Por que é o certo, ainda que seja muito difícil abrir mão de você.

— Então, não faça — ela implorou com olhos úmidos. — Por favor, Don! Estou bem. Por que precisa estragar tudo? Não pode simplesmente fazer amor comigo e deixar as coisas como estão?

— Não torne isso mais difícil do que já é. Nós dois sabemos que ainda te amo, princesa. Talvez, mais do que antes. Mas não seria verdadeiro.

— Don...

— Olhe para mim! Quero que se lembre disso. Não vai esquecer nada do que aconteceu aqui, entendeu?

— Entendi, mas...

— Está livre agora, princesa!

Depois de me alimentar adequadamente e tomar um bom banho, desci as escadas para me juntar a Donovan e Noah. Encontrei-os na sala de leitura e o assunto que discutiam despertou meu interesse.

— É verdade isso? Johnatan esteve aqui?

Noah dirigiu um olhar apreensivo para Donovan, antes de responder.

— Esteve sim. Ele nos ajudou a encontrar o responsável por atacá-la. Mas, você parece ótima! — Ele declarou, mudando repentinamente o rumo da conversa. — É bom tê-la de volta.

— Pretende mesmo voltar para a casa de Elise?

— É o melhor a fazer, Don. Mas não ficarei lá por muito tempo. Antes de tudo isso acontecer eu tinha encontrado um apartamento e se ainda estiver disponível, vou alugá-lo. Mas antes de ir gostaria de conversar com Noah.

— Se eu puder ser útil em alguma coisa, basta dizer.

— Não pude deixar de ouvir que vocês falavam sobre os caídos. Foram eles que me atacaram, não foi?

— De certa forma, sim. Usaram um humano para fazer o trabalho sujo. Queriam impedi-la de ajudar Johnatan a interferir na profecia.

— Então, ele contou pra vocês.

— Sim, mas não estou certo de que esse tema tenha alguma relação conosco — Noah respondeu. — Essa ameaça dos caídos é tão antiga quanto o próprio mundo, mas a disputa é entre eles. Sempre houve um equilíbrio e nunca envolveram a nós ou aos humanos. Não vejo necessidade de se preocupar tanto.

— Mas agora é diferente. Eu sei. Estudei muito sobre o assunto nos últimos dias e...

— Princesa, você acabou de passar por uma experiência difícil, justamente por tentar interferir em um assunto que não nos diz respeito. Sei que ficou impressionada com as coisas que ouviu, mas já é hora de esquecer essa bobagem de profecia dos anjos. Não acha?

— Não, Don! Lembra quando você me mandou estudar o livro das leis? Passei várias semanas enterrada naquelas páginas, aprendendo sobre a história do nosso povo, nossas leis, lendas, rituais... Tenho certeza que havia uma ligação entre o que o anjo contou e nossa própria profecia. Estou segura disso. Vocês precisam levar a sério.

— Você estudou a profecia da última geração? — Noah perguntou.

— Isso e muitas outras coisas, e é impossível não notar a semelhança entre ambas.

— Se é assim, ela pode estar certa, Donovan. Não custa nada verificar. Eu mesmo não pego naquele livro há uns cinquenta anos e confesso que nunca dei muita importância a essa parte.

— Tudo bem. Tenho que admitir que sempre encarei esse assunto como mais um capítulo das lendas e nunca considerei a possibilidade de um dia se tornar real. Mas daí a achar que estamos prestes a ser extintos é um pouco demais.

— Pode ser, mas não custa nada averiguar — Noah rebateu.

Pela expressão pensativa que se refletiu em seu rosto, parecia estar considerando com seriedade meu pedido, ao contrário de Donovan.

— Se isso for mesmo verdade, teremos que tomar nossas providencias.

— Noah, você promete que vai mesmo verificar o que eu disse?

— Tem minha palavra, Carlie.

— Sendo assim, acho que não há mais porque prolongar minha estada aqui — ela fez uma pausa enquanto se aproximou e me surpreendeu com um abraço. — Don... Obrigada por tudo que você fez por mim nos últimos dias! Prometo que assim que estiver instalada eu envio o endereço.

— Sabe que estarei sempre aqui pra você, princesa.

— Noah, pode me dar uma carona até a cidade?

— Claro! Deixo você no apartamento de Elise.

Deixamos a casa em silêncio, cada qual entregue a suas conjecturas, e seguimos assim por boa parte do percurso. Noah estava incomodado com alguma coisa. Por mais que tentasse disfarçar, eu podia sentir sua tensão ao volante.

Estendi a mão e acionei um botão no painel, em uma tentativa de quebrar o gelo que havia se instalado no carro. O som da banda Nickelback preencheu o vazio com a música If today was your last day.

— Não sabia que você curtia esse tipo de som — comentei surpresa. Noah era sempre tão tradicional. Quem diria!

— Gosto de muitas coisas. Em termos de música, sou bem eclético.

— Bem, acho que isso explica algumas coisas.

Ele olhou pra mim com uma expressão de curiosidade brincando em seu rosto, mas não fez nenhum comentário.

— Lembra quando nos conhecemos?

— Sim. Estava sozinha no jardim, nos fundos da casa e parecia uma ilusão criada por Lilith, de tão linda. Soube imediatamente que era você. Não podia ser outra.

— Eu estava tão nervosa naquela noite. Quem poderia imaginar que em tão pouco tempo tudo mudaria.

Novamente o silêncio.

— Posso fazer uma pergunta? — Arrisquei. — É algo íntimo.

Novamente ele me direcionou aquele olhar curioso, mas dessa vez respondeu.

— Se é importante para você, pergunte. Farei o possível para dar uma resposta satisfatória.

Aquilo não significava exatamente um sim, mas decidi prosseguir.

— É verdade que me pareço com sua última esposa?

— Vejo que os boatos a meu respeito chegaram até você.

— Não pense que foi uma fofoca maldosa. É que uma vez as garotas comentaram que eu poderia ser filha de vocês, devido a minha semelhança com ela. Fiquei curiosa, mas nunca tive oportunidade de perguntar e...

Não tive chance de terminar a frase. Noah virou o volante abruptamente e parou no acostamento.

— O que foi isso? — Perguntei assustada. — Viu alguma coisa na estrada?

— Desça! — ele respondeu, abrindo a porta do motorista. E antes que eu pudesse sequer piscar, deu a volta pela frente do carro, parando ao lado da minha porta. Então, a abriu com um gesto elegante.

— Noah, está acontecendo alguma coisa? Se a minha pergunta te deixou chateado, tudo bem, não precisa responder.

— A semelhança entre vocês é mesmo impressionante, mas não se restringe apenas a aparência física.

Tentei assimilar o que ele dizia, enquanto sua mão pousou delicadamente em minhas costas, me induzindo a caminhar a seu lado.

— Acho que entendo.

— Seu temperamento, assim como o dela, é algo fascinante. E por vezes, incompreensível. Mas, não me leve a mal, isso não é uma crítica. Está mais para um elogio — ele fez uma pausa, enquanto caminhávamos pela beira da estrada. — Seria uma honra ter uma filha como você, Carlie. E é por isso que me permito perguntar: o que há realmente entre você e Johnatan Fallen?

— Noah...

— Não quero parecer rude, mas nos últimos dias, enquanto esteve em torpor, pude observar de perto os esforços dele para protegê-la. E como se dispôs a trabalhar ao lado de Donovan, para encontrar o responsável por atacá-la. Sei que existe uma ligação forte entre vocês, assim como sei que Donovan jamais permitirá — ele se voltou, parando a minha frente e segurou meus ombros. Olhou firme em meus olhos antes de prosseguir. — Minha intenção é apenas evitar que você se machuque desnecessariamente.

— Isso não vai acontecer. Eu prometo!

— Ótimo! Agora é melhor voltarmos para o carro. Já é tarde e preciso retornar logo para a cidade.

Aquela conversa sobre minha relação com John me pegou de surpresa, mas por algum motivo, não me sentia constrangida em falar sobre isso com Noah. Ao contrário, era um alívio saber que podia contar com ele.

Os dias que se seguiram foram dedicados a retomar minha rotina e finalmente encontrar um lugar que fosse só meu. O imóvel, pelo qual havia me interessado antes de sofrer o ataque, ainda estava disponível e não foi difícil acertar a locação.

Desde que saí da mansão não voltei a ter contato com Donovan, mas era melhor assim. Precisava de um tempo para organizar minha vida.

Também não tinha me encontrado com John, apesar dele ter ligado várias vezes, inclusive na tarde anterior me convidando para jantar.

Recusei o convite porque ainda tinha providências pendentes com o corretor e queria finalizar logo essa questão. Mas agora, tudo já estava encaminhado para minha mudança no dia seguinte. Então, essa noite seria perfeita para reencontrá-lo e agradecer pelo que havia feito.

Peguei o celular no fundo da bolsa, que havia deixado sobre a mesa ao retornar da imobiliária e disquei o número do anjo.

— E então, aquele convite ainda está de pé?

— Claro que sim! Acha que estará livre esta noite?

— Tenho certeza, mas quero propor algo diferente.

Do outro lado da linha, John tentou conter uma risada.

— O que a minha vampira favorita está aprontando?

— Nada de mais. É que amanhã me mudo para o apartamento novo e pensei em sairmos para jantar, eu você e Elise. Seria uma comemoração pela minha recém-conquistada liberdade e também uma despedida da casa de Elise, por ter me aturado até agora. Você aceita meu convite?

— Não era exatamente o que eu tinha em mente, mas aceito sim. A que horas devo passar para buscar as senhoritas?

— Às 9h está bem pra você?

— Está perfeito!

— Então, combinado. Nos vemos à noite.

O tilintar dos saltos na escada do prédio revelou que Elise estava de volta e não demorou muito para que ela entrasse carregada de sacolas.

— O que é tudo isso?

— Achei que você precisava de umas coisinhas para sua casa nova.

— Você não devia gastar dinheiro comigo. Já fez muito me recebendo aqui por um tempo.

— Carlie, não estrague meu prazer, ok? Sabe que adoro ir às compras e você me deu o motivo perfeito. Venha! Deixe eu te mostrar as coisas lindas que encontrei. Olhe essas taças! São perfeitas, não acha?

Eram lindas mesmo. Em cristal preto de excelente qualidade, sustentadas por longas hastes transparentes. Simples e elegantes.

— Eu adorei, obrigada! — Agradeci abraçando minha amiga. Elise era muito maluquinha às vezes, mas tinha conquistado um lugar no meu coração, como uma irmã mais nova. — E essa noite temos um compromisso, então vê se não se atrasa porque não quero deixar John esperando.

— John Fallen? Tem certeza que esse "compromisso" me inclui?

— É claro que sim! Hoje vocês serão meus convidados.

— Ok! Se você está dizendo.

— Pare com isso, Elise. Não há nada entre nós, além de amizade e ainda não agradeci pelo que ele fez.

Passava pouco das nove quando cheguei à entrada do prédio, onde Elise já estava a minha espera.

— Olá, John! — Ela cumprimentou, depositando um beijo em meu rosto.

— Onde está Carlie? — perguntei e quase no mesmo instante ouvi sua voz vinda do carro.

— Vamos, entrem! Quero passar em um lugar antes de irmos para o restaurante.

— O que ela está aprontando?

— Sei lá —Elise respondeu entre risos —, mas acho melhor entrarmos logo no carro, antes que ela venha nos buscar.

— Oi, John! É bom revê-lo.

— Como você está? Quero dizer... como se sente depois de tudo.

— Bem, eu acho. Mas não quero falar sobre isso — Carlie me cortou, antes que tivesse chance de fazer qualquer comentário sobre o ataque.

— Vai nos dizer para onde vamos? — Elise perguntou enquanto Carlie dava a partida. — Esse suspense já está me matando.

— Quero que vocês vejam uma coisa.

Alguns minutos depois, estacionamos em frente a um pequeno edifício de três andares, localizado do outro lado do canal, próximo ao hotel onde eu e Kira estávamos instalados.

— Chegamos!

— É o que estou pensando?

— Isso mesmo! É aqui que vou morar a partir de amanhã, John. Queria que vocês fossem os primeiros a conhecer.

Saímos do carro e entramos no prédio, subindo até o terceiro andar, onde ficava o pequeno apartamento que ela havia alugado para iniciar sua nova vida.

— De fora parece tão... simples — Elise comentou. — E olha só, você fez um milagre nesse lugar. Está uma gracinha.

— Para mim parece perfeito — intervi, admirado com o que ela havia feito com o espaço. A decoração era simples, porém moderna e leve. Os tons claros, dominando o ambiente, criavam a ilusão de que o apartamento era maior do que era na realidade.

— Combina com você, pequena.

— Obrigada, John! — Ela olhou direto em meus olhos ao falar e por um momento, foi como se a antiga Carlie estivesse de volta. Mas então, ela se refez.

— Vamos fazer um brinde. Quero inaugurar as taças que Elise me deu de presente. John, pode abrir a champanhe?

— Claro. Só espero que vocês se lembrem de que *eu* preciso comer. E a propósito, as taças são muito bonitas.

— Claro que são. Fui eu que escolhi. E não seja estraga prazer, Johnatan Fallen. Vamos levá-lo para comer depois. Não vamos?

Elise olhou para Carlie e rimos com seu comentário, enquanto o estampido da rolha soou na sala.

Permanecemos ali por mais alguns minutos, bebericando descontraidamente a champanhe, antes de deixar o prédio e seguir para o restaurante, um local pequeno e aconchegante onde eram servidos variados tipos de massas.

— Noah me contou o que você fez enquanto eu dormia. Preciso te agradecer, John. Sei o quanto deve ter sido difícil para você e para Donovan também.

— Você não tem nada que agradecer. Eu faria tudo de novo se fosse preciso.

— Eu sei. Mesmo assim precisava te dizer isso. Obrigada! — Ela fez uma pausa antes de completar — Por tudo.

— Engraçado, não me lembro de alguém ter me agradecido por minha participação nessa história. Afinal, fui eu que literalmente mostrei ao John o que tinha acontecido na porta da boate. Se não tivesse deixado ele invadir minha mente, não teriam localizado o caçador.

— Você invadiu a mente de Elise?

— Mais ou menos isso. Precisava ver o rosto do homem que te atacou para tentar rastreá-lo.

— Oh! Elise querida, eu não sabia. Venha cá — Carlie nos puxou por sobre a mesa. —Vocês merecem um abraço coletivo.

O resto da noite transcorreu leve, entre taças de vinho, risos e conversas descontraídas. Era quase uma da manhã quando regressei sozinho ao meu quarto no hotel.

E aqueles que foram vistos dançando foram julgados insanos por aqueles que não podiam escutar a música.

Friedrich Nietzsche - filósofo

Capítulo 11
Aliados indesejados

Por algum motivo, a ligação de Noah para meu celular naquela manhã não me surpreendeu. Ele queria conversar sobre a profecia e parecia ter chegado a mesma conclusão que Carlie. Marcamos um encontro para aquela tarde e quando cheguei às margens do canal que corta a cidade, o vampiro já estava a minha espera.

— Lugar inusitado para essa conversa, não acha?

— É um local público, Fallen. Muitas pessoas vêm até aqui para praticar esporte ou apenas apreciar o movimento das pequenas embarcações. Achei que seria mais conveniente.

— Vamos caminhar um pouco, enquanto me explica a que conclusão chegou e porque estamos aqui.

— Conforme prometi a Carlie, analisei cuidadosamente o livro das leis e fui além. Pesquisei a fundo sobre as profecias dos humanos e algumas crenças de povos antigos já extintos.

— E a que conclusão chegou?

— Devo admitir que são muitas as coincidências e já vivi o suficiente para saber que tantas coincidências significam que algo muito sério está para acontecer.

— Então, está disposto a ajudar?

— Talvez, mas existem alguns pontos que preciso entender antes de tomar uma decisão. Vamos começar pela hipótese de que você esteja certo. Por que acha que seus antigos companheiros não vão interferir e colocar um ponto final nessa ameaça, como fizeram antes? Pelo que me consta, nunca precisaram de ajuda para lidar com os caídos.

— Dessa vez é diferente. Azazel pretende começar uma guerra na terra, porque ele sabe que aqui é mais forte. É sua única chance de vencer. Ele não quer cometer o mesmo erro de seus antecessores. Além do mais, suas pretensões são bem diferentes das que levaram a outras insurgências no passado. Azazel não cobiça os reinos superiores. Para ele a terra basta. É aqui que ele quer construir seu reinado e exterminar os humanos é só o primeiro passo.

— E com o fim da raça humana, teremos que nos subjugar a seu domínio ou seremos exterminados também.

— Exatamente!

— E qual sua ideia para evitar que isso aconteça?

— Unir nossas forças, Noah! Precisamos deixar as velhas rivalidades de lado e lutar juntos, em prol de um objetivo comum.

— Concordo com você. A preservação da espécie humana também é de nosso interesse, mas não será tão simples assim e você sabe. Precisaremos da aprovação do conselho, já que esse é um assunto que envolverá todos os clãs e, mesmo assim, não temos nenhuma garantia que a outra parte concordaria com esse acordo.

— Dessa parte você pode deixar que eu cuido. Eles vão aceitar. É isso ou trazer um exército inteiro de anjos para a terra, o que acabaria com todo o equilíbrio. O mundo jamais seria o mesmo depois disso.

— Seja como for, o mundo jamais será o mesmo, meu amigo.

— Então, temos um acordo?

— Vou conversar com Donovan e arrebanhar algumas alianças para apoiar nossa proposta junto ao conselho — foi a resposta de Noah antes de apertar minha mão. — Darei notícias.

Voltei para o hotel disposto a agir imediatamente. Tinha plena consciência de que essa seria a parte mais difícil do meu plano, mas precisava convencer Kira sobre a aliança com os vampiros.

— Vamos, diga! Eu tenho um trabalho a fazer. Preciso saber quem são nossos aliados e o que você está planejando.

— Nossos aliados são os originais da terra.

— Vampiros? Está me dizendo que pretende se unir a vampiros, Johnatan?

Kira recebeu minha declaração da pior maneira possível e reagiu a altura. Eu não esperava que fosse de outra forma, mas por via das dúvidas, achei melhor deixá-la desabafar toda sua incredulidade, antes de prosseguir com meus argumentos.

— Eu me recuso! Como pode ser tão tolo? Com tudo que já aconteceu, todos que te traíram e ainda assim não aprendeu nada? O que te faz pensar que pode confiar nesses seres repugnantes?

Pronto! Ali estava a minha deixa.

— Kira, precisa ver as coisas por outro ângulo. Eles também têm muito a perder. Estão dispostos a ajudar, já que o extermínio dos humanos significaria o fim para eles também.

— Não importa! Se depender de mim isso não vai acontecer. Não vou me unir a esse tipo de gente, se é que podem ser chamados assim. Solicitarei uma audiência com Rafael e implorarei que me tire da missão, se for preciso.

Kira se mostrou irredutível diante da ideia de se unir aos vampiros. Estava decidida a retornar e deixar que outro anjo a substituísse.

Por mais que me desagradasse, fui obrigado a sair do quarto, deixando-a sozinha por algum tempo, para que tivesse a privacidade necessária para cumprir seu objetivo.

Passei o dia fora, pensando em quem melhor que Kira poderia descer para me ajudar. Mas, ninguém além de um arcanjo, poderia ser tão competente e, duvidava que Rafael ou qualquer outro estivesse disposto a interferir pessoalmente.

Ao voltar para o hotel, orei intimamente para que Rafael tivesse recusado seu pedido e para minha surpresa, Kira ainda estava no quarto.

— Como foi a audiência?

— Vou ficar para ajudá-lo, mas não faça muitas perguntas, por favor. Só quero deixar claro que não pretendo fazer amizade com essas criaturas. Estou aqui apenas por ter recebido uma ordem direta de Rafael.

— Não quero que se sinta mal enquanto estiver aqui, Kira. Sua ajuda será preciosa. E me desculpe por esse transtorno.

— Tudo bem, mas para que isso tudo termine você sabe o que precisa acontecer, não sabe?

— Sei.

— E já tomou sua decisão?

— Se não se importa, prefiro não falar sobre isso agora. Quero esgotar todos os recursos antes de chegar a esse ponto.

— Eu imagino que sim, mas é sempre bom ter em mente que o mais importante é manter o equilíbrio — Kira se aproximou e acariciou de leve meu rosto antes de concluir. — Sei pelo que está passando, Johnatan. Posso sentir sua angústia e o quanto você a ama. Parece uma perda insuperável, mas você sabe que quando chegar a hora não será assim.

Eu sabia ao que ela estava se referindo e se levasse em conta seu recente encontro com Rafael, seria obrigado a admitir que o futuro daquela empreitada já estava decidido. Talvez, mais do que isso. Por isso mesmo, o melhor era me concentrar no que tínhamos pela frente.

— Por agora, acho que temos coisas mais urgentes com que nos preocupar.

— Tem razão. Nunca travamos uma guerra fora dos planos superiores. Não há como mensurar as consequências para a raça humana. A maioria deles nem mesmo acredita em nossa existência. Precisamos tentar reverter essa condição.

— Azazel não é idiota. Ele sabe perfeitamente que não teria nenhuma chance se a batalha acontecesse fora desse plano. Os caídos seriam facilmente derrotados.

— Mas não podemos permitir que os exércitos humanos se envolvam, isso é exatamente o que Azazel pretende. Assim seria muito fácil dizimá-los, muitos de uma só vez, e não vejo como podemos evitar que isso aconteça lutando aqui.

— Não temos opção. Por isso é tão importante formar alianças.

— Está mesmo sugerindo que...

— Não estou sugerindo. Estou afirmando que essa é nossa melhor opção. Com os vampiros lutando a nosso lado podemos surpreender as forças de Azazel e quem sabe, conter a batalha em uma área limitada, minimizando as baixas.

— Ainda acho que podemos tentar outros recursos antes de formar uma aliança dessa natureza. Não percebe o que está prestes a fazer? Isso vai de encontro a tudo que é divino.

— Desculpe Kira, mas essa decisão não cabe a você.

— Duvido que Rafael se disponha a acatar tal proposta.

— Confie em mim. Ele vai concordar. E para ser sincero, acho até que ele está esperando por isso.

— Só espero que você saiba o que está fazendo — Kira fez uma pausa. — Já é tarde. Vou para meu quarto avaliar tudo isso. Amanhã prosseguimos.

— Boa noite, Kira!

Quando Noah ligou, dizendo que precisávamos conversar sobre a profecia, não levei muito a sério, imaginando que ele queria minha ajuda para tirar essa bobagem da cabeça de Carlie.

Mas agora, depois de ouvir atentamente seu relato sobre as coincidências encontradas e o levantamento que ele havia feito sobre alguns fatos acontecidos nas últimas semanas, fui obrigado a concordar que a ameaça era real.

— Na maioria, são pequenos fatos. Acontecimentos corriqueiros com poucas vítimas, tratados como coisa sem importância. Mas, esse caso é diferente. Trata-se de um grave acidente aéreo que aconteceu recentemente e, como sempre, as autoridades humanas analisaram as informações da caixa preta para descobrir a causa da queda da aeronave, que estava repleta de passageiros ao se chocar com a montanha.

— Ainda não vejo a ligação. Parece só mais um acidente, no qual não houve sobreviventes. O local é de difícil acesso e praticamente inviabiliza o resgate dos corpos, ok! Mas isso não significa que existe algo de sobrenatural no que aconteceu.

— Você não está atentando para os detalhes, Donovan. O resultado da investigação e as gravações da caixa preta da aeronave revelaram que o copiloto se trancou na cabine do avião e propositalmente, o arremessou contra a montanha, com o objetivo de provocar o desastre. Não foi um acidente.

— E o que os especialistas alegam?

— Que o homem sofria de um elevado grau de depressão. A mesma justificativa encontrada para o caso do trem, que descarrilou propositalmente por intervenção do operador, matando centenas de pessoas no Japão, e do motorista que jogou a carreta do alto de um viaduto, atingindo um ônibus e vários carros que estavam na pista de baixo, matando dezenas de pessoas no Brasil — Noah fez uma pausa, aguardando que suas palavras surtissem efeito. — São todos iguais. Um humano entra em crise e provoca um desastre, no qual mata muitas pessoas. Até mesmo nos casos menores, classificados como suicídio, a explicação é sempre a mesma. A pessoa sofria de depressão ou apresentava indícios de algum problema psiquiátrico. Isso não soa familiar aos seus ouvidos?

— Pode ser... Está bem! Concordo que você tem razão. Mas ainda assim, podemos estar enganados.

— Isoladamente, essas tragédias podem não significar nada, mas nós sabemos muito bem como nossos inimigos costumam agir. Minha intuição me diz que conhecemos o verdadeiro motivo por trás de tantas mortes coletivas e suicídios num curto espaço de tempo, e seríamos displicentes se não considerássemos a possibilidade de haver interferência dos caídos nesses episódios. Arrisco-me a afirmar que eles já iniciaram o plano mencionado por Johnatan Fallen e se não interferirmos, em pouco tempo a situação pode estar fora de controle.

— E o que você sugere que façamos, Noah? Não podemos simplesmente iniciar uma caça aos caídos. Se tudo isso é verdade, não teremos como lutar contra eles sozinhos. Precisaremos de um grande contingente de homens, além da aprovação do conselho.

Noah não respondeu, deixando a pergunta no ar e eu sabia exatamente o que isso significava.

— Quer que eu vá até Bran e peça uma reunião do conselho, para autorizar uma guerra contra os caídos, baseada apenas na análise de antigas profecias e em estatísticas recentes de acidentes com mortes coletivas e suicídios humanos?

— Não vejo outra maneira de impedir que os caídos logrem sucesso em seu intento. Mas, se você tiver alguma ideia melhor, estou aberto a ouvi-lo.

— Bran não será convencido tão facilmente e você sabe perfeitamente disso. Se está mesmo disposto a levar essa questão aos Sirs, vai precisar de mais do que a palavra de um caído tentando escapar de seu destino ou algumas análises bem elaboradas.

— Alguma sugestão?

— Só conheço uma pessoa que poderia validar a ameaça da guerra perante os membros do conselho e unir todos os clãs nessa empreitada.

— O último Ancião — Noah concluiu. — Mas ele vive recluso, isolado do convívio social, praticamente inacessível há quase um século.

— Sem o aval dele não teremos nenhuma chance de convencer o conselho a nos apoiar.

— De qualquer forma, vamos precisar de Bran ao nosso lado, para garantir a todos que as palavras do Ancião são legítimas.

— Então, acho que não nos resta outra coisa. Temos que fazer uma visita ao palacete de Bran.

Nunca é alto o preço a se pagar pelo privilégio de se pertencer a si mesmo.

Friedrich Nietzsche - filósofo

Capítulo 12
Lord Bran e o Ancião

— Meu caro Hunter, por mais inacreditável que possa parecer, a possibilidade levantada por Noah não soa irreal em meus ouvidos. Na verdade, há algum tempo nossos cientistas e observadores vêm estudando essa questão. Porém, confesso que não estamos tão bem informados quanto vocês. Talvez, por não possuirmos um espião do lado inimigo.

— Eu não diria que Johnatan Fallen se encaixe na classificação de espião, Lord Bran — Noah rebateu.

— Bem, isso realmente não importa, por enquanto.

Busquei o olhar de Noah, conjecturando até que ponto Bran não estaria certo em suas especulações. E, se assim fosse, Fallen poderia perfeitamente fazer o serviço ao revés, levando informações de nosso conluio aos caídos.

—... Também estou de acordo, Noah — a voz de Bran me trouxe de volta. — Providenciarei o que me pedem. E se o Ancião concordar em recebê-los, eu mesmo os acompanharei, para garantir a veracidade de suas determinações. Mas, creio que lhes faltou um detalhe.

— E que detalhe seria esse? — Perguntei, querendo colocar logo um final naquela visita.

— Estou seguro de que conhecem o costume. O Ancião não os receberá sem a presença de uma legítima filha de Lilith. Imagino que já possuem um arranjo com a jovem.

Maldição! Havia esquecido completamente dessa tradição idiota. Uma filha legítima de Lilith, ou seja, uma vampira de sangue nobre. Uma princesa.

— Claro! Estou certo de que Carlie nos acompanhará na audiência — respondi a contra gosto.

— Então, tudo está resolvido. Em breve enviarei notícias.

Uma semana depois, um mensageiro trouxe um envelope vermelho. O brasão da casa de Bran, impresso em dourado, não deixava dúvidas sobre o que se tratava.

Sem hesitar, abri e li seu conteúdo.

Caro Hunter,

A audiência está marcada para daqui a dois dias. Meu motorista passará para buscá-los ao cair da noite. Estejam prontos e garanta a presença de sua esposa.

Lord Bran

— Obrigado! Pode ir. E diga a seu senhor que estaremos aguardando.

Dispensei o homem e liguei para Carlie. A última coisa que eu queria era vê-la ainda mais envolvida nessa história, mas sem alternativa, fui obrigado a deixá-la de sobre aviso. E agora, ao confirmar a audiência, não pude deixar de notar o quanto ela parecia ansiosa diante da perspectiva de se encontrar, frente a frente, com uma figura tão ilustre e mítica.

Não podia culpá-la, já que até para mim esse encontro parecia irreal. Só esperava que ela conseguisse vencer o receio e o nervosismo que senti em sua voz, e que saíssemos de lá com uma solução para a questão da guerra. Do contrário, a visita seria um desperdício de tempo e esforço.

O sol começava a se pôr quando o carro que conduzia Bran parou em frente às escadas que davam acesso a entrada da casa.

Antes mesmo que o motorista descesse, deixamos o hall e caminhamos até o veículo. O homem abriu uma das portas traseiras e Carlie foi a primeira a entrar, ocupando o lugar em frente à Bran. Sentei a seu lado, deixando o espaço ao lado de Bran para Noah.

— Está majestosa como sempre, minha cara!

— Obrigada, Lord Bran!

— É sempre um prazer elogiar uma dama tão bela, mas devo dizer que fiquei um pouco preocupado com os comentários que me chegaram recentemente.

Pronto! Essa era a última coisa de que eu precisava. Bran se intrometendo em meu relacionamento com Carlie.

— Que comentários a meu respeito poderiam lhe causar preocupação, Lord Bran? Espero não ter feito nada contrário às leis.

— Longe disso. Fique tranquila! Mas soube que você adquiriu o hábito incomum de viver em um pequeno apartamento, longe da proteção de seu marido.

Se Carlie fosse humana certamente teria corado em vários tons de vermelho, pois a expressão que surgiu em seu rosto foi indisfarçável.

Eu até poderia apreciar aquela conversa, se não caminhasse para um terreno perigoso, que poderia me deixar em uma situação difícil perante o conselho.

— É um arranjo temporário, Lord Bran. Tenho certeza que Donovan não se importa.

Ao menos, ela conseguiu manter a compostura e não havia revelado o motivo que a levou a sair de casa. Mas era melhor intervir, antes que a conversa se complicasse.

— Carlie ainda é muito jovem, Bran. Sente falta da privacidade a que estava acostuma no Brasil. Não vejo motivo para não conceder seu desejo. Isso não atrapalha em nada nosso compromisso e tenho que admitir que a liberdade desse arranjo me prevalece.

— Esses jogos da juventude são um tanto cansativos para um tradicionalista como eu — Bran sorriu malicioso, na certa imaginando alguma perversão por trás de meu comentário —, mas se está bem para você, não vejo problema, Hunter. Agora, mudemos de assunto

— ele emendou, dirigindo-se novamente a Carlie. — Não quero que se sinta constrangida em minha presença, criança.

Durante o resto do trajeto, até a residência que abrigava o Ancião, a conversa girou em torno da conspiração dos caídos e de uma possível aliança para derrotá-los.

Ao chegarmos ao nosso destino, um imenso casarão isolado em uma região rural, fomos recebidos por um home carrancudo, que nos guiou até o hall.

Vista de fora, a construção lembrava os antigos palácios vitorianos da Inglaterra, porém era o interior que mais impressionava.

No ambiente sombrio, o cheiro de antiguidade estava impregnado por toda parte e a escuridão seria total, não fosse pela grande quantidade de velas espalhadas em castiçais de prata sobre os móveis.

O ar era gélido, apesar das pesadas cortinas que cobriam completamente as janelas e das paredes sólidas que nos abrigavam. Móveis escuros e telas com pinturas que retratavam uma época distante completavam, o que parecia ser um castelo de filme de terror, dos mais clássicos.

— Pode deixar, eles estão sendo aguardados — disse outro homem, que se aproximou e nos conduziu através de um largo corredor até a sala.

Esse cômodo dispunha de uma iluminação melhor e estava aquecido, graças a uma grande lareira, que dominava quase toda a parede de frente para a porta.

Pequenos sofás, dispostos nas paredes laterais, um de frente para o outro, serviam ao propósito de oferecer conforto aos raros visitantes que ali eram recebidos, de tempos em tempos.

— Não sei o que eu esperava encontrar, mas certamente não era isso — Carlie comentou.

— Parece que cruzamos um portal do tempo — Noah falou, observando os detalhes dos poucos objetos que decoravam o ambiente.

— Um portal um tanto sinistro, eu diria.

Antes que Lord Bran pudesse fazer qualquer comentário, o homem que havia nos levado até a sala retornou.

— Vocês dois, aguardem aqui — ele disse, se dirigindo a mim e a Noah. — O cavalheiro e a senhora serão recebidos agora. Sigam-me, por favor!

Olhei para Noah, demonstrando que não estava gostando nada daquilo, enquanto Carlie era conduzida para fora da sala, na companhia de Bran.

— O que acha disso, Noah?

— Carlie sabe se cuidar e não temos escolha. Tenha um pouco de paciência, Donovan.

Estávamos de volta ao largo corredor, mas dessa vez, fomos conduzidos para uma escada lateral que dava acesso ao andar superior. Eu seguia os passos do homem a minha frente, consciente da presença de Lord Bran logo atrás de mim, o que me dava um pouco mais de confiança.

— Não fique nervosa, criança. Estarei o tempo todo com você — a voz de Bran surgiu tão nítida em minha mente, que por um segundo custei a perceber que ele não falava exatamente. Estava se comunicando por telepatia e assim, garantindo que só eu poderia ouvi-lo.

— Obrigada! — respondi mentalmente, mas não tinha certeza se minha resposta seria recebida ou se aquela era uma comunicação de uma única via.

Duvidava que Lord Bran permitisse que eu ou qualquer outra pessoa, tivesse acesso livre a seus pensamentos. De qualquer forma, aquele contato serviu para me tranquilizar.

Paramos em frente a uma porta dupla muito alta. Prontamente, o homem que nos escoltava girou a maçaneta, liberando a passagem.

— Podem entrar. O mestre os espera.

Com passos inseguros adentrei a sala, que tinha como única iluminação um par de velas dispostas sobre um aparador e outro par mais adiante, sobre o que parecia ser um tipo de mesa de escritório, só que em uma versão muito antiga.

— Não fique ressentido, Lord Bran, mas meu assunto diz respeito apenas a jovem. Por isso, peço que se retire — a voz masculina e desbotada pelos anos, soou imponente, o suficiente para não ser contestada. — Chamei-o apenas para dizer que as palavras dela, ao sair dessa sala, deverão ser respeitadas, como se fossem proferidas diretamente por mim — ele advertiu.

— Como desejar, meu senhor! — foi tudo que Bran respondeu, antes de voltar sobre os próprios passos e se retirar.

Fiquei ali, parada em meio à penumbra, sem saber o que fazer ou o que esperar daquela situação inusitada.

— Aproxime-se, criança! Meus olhos enxergam nitidamente através da cortina do tempo, mas nunca foram muito bons em revelar o que está em minha frente.

Hesitante, me aproximei devagar da estranha figura, que estendeu a mão magra em minha direção. Com dedos finos, que exibiam unhas longas e pontiagudas; cabelos brancos, ralos e compridos, que circundavam a cabeça calva; e vestindo um longo manto negro, de tecido grosso e pesado, o Ancião tinha uma aparência cadavérica.

— Bela e fria como uma boneca de porcelana! — Ele declarou ao tocar minha mão com seus dedos esquálidos. — Quando a guerra acabar você será uma rainha perfeita para nosso povo. Seus valores serão testados a fogo, mas sua personalidade é forte e você se sairá bem.

— Não existe uma rainha, Ancião. Nosso povo vive sob o domínio dos Sirs e dos Príncipes — respondi, cogitando se seria possível que o tempo tivesse transformado o vampiro em um velho caduco, como costumava acontecer aos humanos que viviam demais.

— Ainda não, mas chegará o dia em que uma filha de Lilith será novamente soberana — ele fez uma pausa. — Vejo o brilho da Deusa em seus olhos. Ela a abraçou quando esteve na escuridão que separa os mundos. Certamente você se recorda. Não deve renegá-la. A grande mãe a elegeu para cumprir seus desígnios, criança.

Ele só podia estar se referindo ao tempo que passei em torpor. Mas, como poderia saber? E que história era essa de eleita de Lilith?

Eu queria informações sobre a profecia e a guerra. Precisava focar a conversa no assunto que me levou até lá. Estar na presença daquele ser já era assustador o suficiente. Melhor seria mudar o rumo da conversa, descobrir o que precisava e sair logo daquele lugar tenebroso.

— Então, haverá mesmo uma guerra? — Perguntei, não dando ouvidos a prudência, que me avisava que era melhor deixá-lo falar. — Sendo assim, estou certa de que os príncipes que me acompanham gostariam de lhe falar, senhor — argumentei tentando encontrar uma maneira gentil de me retirar.

— Não será necessário. Você transmitirá meu recado a eles.

— E o que devo dizer?

— Está escrito no livro das leis. Quando a última lua de sangue brilhar na escuridão do céu, as hordas dos banidos avançarão. Muitos serão condenados a morte eterna, para garantir a sobrevivência de nossa espécie e defender os que nos servem de alimento. Mas, do caos surgirá a união e os desígnios da Deusa serão cumpridos.

— Perdoe minha ignorância, Ancião. Mas, que desígnios são esses?

— Desde que nosso povo se rebelou contra os antigos mestres, há milhares de anos, dividindo-se em famílias e espalhando os clãs sobre a terra, a grande mãe Lilith está contrariada. A Deusa voltou suas costas para nós, aguardando o dia em que todas as casas voltarão a formar uma só família. Mas, para que isso aconteça, uma guerra ainda maior e mais devastadora terá que ser travada.

— Mas então... a guerra exterminará uma parte de nossa raça.

— Deixe-me ver a marca que carrega.

— Marca? — Aquele pedido me deixou confusa. — Não tenho nenhuma marca em meu corpo.

— Tem certeza?

— Eu saberia se tivesse uma.

— Estranho — ele ponderou —, talvez eu tenha me enganado sobre você.

— O que essa marca tem a ver com a guerra?

— Isso é tudo! Agora vá, criança. Preciso me recolher aos meus aposentos.

— Se ele tocar nela, juro que esqueço que é o Ancião e acabo com ele aqui mesmo.

— Acalme-se, Donovan! Ele não fará nenhum mal a sua esposa. É apenas uma conversa.

Nesse instante, a porta voltou a se abrir e Carlie surgiu, acompanhada pelo mesmo homem que a havia conduzido para fora, há pouco mais de quinze minutos.

— Carlie! Você está bem?

— Estou Don.

— Como foi a audiência? — Bran quis saber.

— Será que podemos conversar a caminho de casa? Esse lugar me dá arrepios.

— É claro, princesa! — Respondi segurando a mão de Carlie e me dirigindo para a saída. — Vamos embora, Bran. Já cumprimos nosso propósito aqui.

No caminho de volta, contei tudo que ouvi do Ancião. Respondi as perguntas de Bran, que queria saber todos os detalhes, cada palavra dita pelo velho vampiro.

— O que lhe parece essa história, Noah? — Perguntei. — Será que o velho está ficando senil?

— É pouco provável, mas ninguém pode dizer com certeza.

— Quantos séculos ele já completou, afinal? Você deve saber, Bran. É o único com quem ele ainda mantém algum contato.

— Creio que nem ele próprio saberia responder a essa pergunta. O que posso afirmar é que quando o Deus dos humanos nasceu, há mais de dois mil anos, ele já era o último Ancião. Talvez tenha quatro ou cinco mil anos. Ou talvez isso não passe de mais uma lenda. Quem pode afirmar com certeza? — Bran deixou a pergunta no ar, antes de completar. —Mas uma coisa é certa: ele nunca errou uma previsão.

— Vamos torcer para que essa seja a primeira vez. Porque se ele estiver certo, alguns de nós podem não sobreviver a esse confronto.

Se não te lembras das menores tolices que o amor te levou a fazer, é porque jamais amaste.

William Shakespeare - dramaturgo

Capítulo 13
No apartamento de Carlie

Após deixar Carlie na porta do prédio onde ela agora morava, seguimos no carro de Bran até a mansão. Uma breve conversa e algumas doses de uísque encerraram a noite. E logo Noah e Bran partiram, deixando-me sozinho para remoer meus pensamentos.

Por mais absurdo que pudesse parecer, após tantas revelações importantes, o que permaneceu em minha cabeça foram as palavras proferidas por Bran, sobre a forma como eu estava conduzindo minha relação com Carlie.

Talvez, eu agisse motivado pela sentença de Noah, ao afirmar que poderíamos não sobreviver a guerra contra os caídos. Ou quem sabe, fosse apenas o desejo de tê-la novamente em meus braços, mas o fato é que depositei o copo já quase vazio sobre a mesa e peguei a chave do carro.

Em um ímpeto, dei a partida e segui direto para a cidade, de volta ao apartamento dela.

Estacionei do outro lado da calçada, exatamente em frente ao prédio. Passava de duas da manhã e o silêncio imperava na vizinhança. Meus sentidos, a essa altura, já se encontravam todos voltados para Carlie. Foi então que ouvi o primeiro suspiro.

Amaldiçoei a super-audição da raça, imaginando a princípio que havia mais alguém no apartamento e que esse alguém fosse o motivo do gemido. A raiva já estava me dominando, fazendo-me sentir mais uma vez um idiota por ter permitido que ela se fosse, ao invés de usar a força do domínio para mantê-la ao meu lado.

Mas então, voltei a ouvir sua voz. Dessa vez, o murmúrio chegou na forma de uma recusa. Carlie parecia pedir ajuda. Alguma coisa estava errada e se havia realmente alguém além dela no interior do apartamento, ela estava em perigo.

Cruzei a rua como um raio e forcei o portão de ferro que guardava a entrada do pequeno edifício. Mas ele não deu demonstrações de que cederia tão facilmente.

Restavam-me duas opções: colocar o maldito portão abaixo, o que certamente acordaria toda a vizinhança e atrairia muita atenção, ou saltar para dentro do apartamento, através da janela do quarto que estava parcialmente aberta.

Calculei a altura rapidamente e projetei o corpo. Mas ao entrar no quarto, me deparei com Carlie completamente nua sobre a cama.

Estava dormindo um sono agitado e se movia como se tentasse se livrar de algum inimigo imaginário. Era só um pesadelo, que a fazia pronunciar palavras desconexas. Mas foi a imagem de sua nudez que me paralisou.

Meus olhos percorreram cada curva daquele corpo perfeito, que eu conhecia tão bem. Os cabelos negros e brilhantes, espalhados sobre o lençol e o perfume que ela exalava, invadindo meus sentidos.

Fechei os olhos, tentando conter as ondas de desejo que se apossavam de meu corpo, até que e o *"Não... Solte-me",* que escapou de seus lábios me ajudou a recuperar o controle.

— Carlie, acorde!

A voz masculina, profunda e reconfortante, parecia vir de muito longe, mas foi o suficiente para invadir o sonho, afastando por um momento as imagens diabólicas que me atacavam.

— Vamos. Abra os olhos, princesa!

Forcei-me a obedecer aquele comando, tão familiar e providencial.

— Don... — balbuciei sentindo-me confusa.

Como ele teria conseguido entrar em meu sonho?

Lentamente, abri os olhos, me deparando com a figura de Donovan ao lado da cama e em uma reação espontânea, ergui o corpo, abraçando-o e enterrando a cabeça em seu peito.

— O que foi isso?

— Um sonho ruim. Mas graças a Lilith você chegou para me livrar dele.

— Desde quando voltou a ter pesadelos? — Ele perguntou preocupado.

— Tem acontecido ultimamente. Tenho certeza que tem a ver com essa profecia estúpida. Mas não quero falar disso.

— Malditos caídos! Aposto que tem o dedo deles nisso.

— Como entrou aqui?

— Não esperava que eu fosse detido por uma porta trancada, enquanto ouvia você se debater e pedir ajuda.

Virei a cabeça, apenas o suficiente para olhar ao redor. A cortina voando ao sabor do vento não deixava dúvida.

— Você entrou pela janela! Estamos no terceiro andar, Don. Não devia se expor assim.

— Nem você — ele falou, me olhando intensamente. — Continua dormindo nua.

O comentário me pegou de surpresa.

— Ainda não consegui perder alguns hábitos adquiridos nos últimos tempos.

— Quando dormia em minha cama, você quer dizer.

— É — respondi desviando o olhar, os braços ainda ao redor de seu pescoço, tentando decidir o que se seria menos constrangedor: soltá-lo e revelar ainda mais minha nudez, ou permanecer ali, usando o corpo dele como barreira para encobrir a visão do meu.

— Preciso que me solte e se cubra — ele declarou, como se lesse meus pensamentos. — Do contrário, serei forçado a fazer amor com você.

— Desculpe! Eu não devia...

Deixei os braços caírem e me afastei, tateando na penumbra do quarto em busca do lençol; tentando encontrar palavras para sair daquela situação constrangedora. Mas, antes que pudesse esboçar alguma frase coerente, Donovan me puxou de volta, me prendendo junto a seu corpo e colando sua boca a minha, num beijo sensual e arrebatador.

Não ofereci resistência quando sua língua brincou provocantemente com a minha, me entregando ao sabor de seus lábios e ao desejo inegável de ser novamente dele.

Mas a reação só durou um minuto e logo fui tomada pela insegurança, e por uma certeza absurda de que estava prestes a fazer algo do qual me arrependeria.

— Não, Don. Pare!

Ele me olhou, sua expressão uma mescla de surpresa e frustração, mas afastou o rosto afrouxando o abraço.

— Carlie, você melhor do que ninguém sabe o quanto me custa pedir desculpa. É muito difícil dizer o quanto lamento pelo que fiz. Seria mais fácil se eu simplesmente conseguisse tirar você da minha cabeça, mas não dá. Você é parte de mim e não posso, nem quero deixá-la ir. Preciso de você para me sentir completo, princesa.

— Don, eu...

— Você me pediu um tempo e eu aceitei. Juro que estou tentando respeitar nosso acordo. Mas até quando pretende me manter afastado?

— Eu não sei — respondi sinceramente. — Até poder olhar novamente em seus olhos, sem me lembrar de que você matou meus pais.

— Porque está fazendo isso com a gente? Sei que você também quer de volta o que tínhamos, tanto quanto eu. Porque tem que nos impor esse sofrimento?

Não respondi. Não tinha como explicar para ele o que nem eu conseguia entender direito.

— Isso tudo é só para manter suas convicções? Elas não podem ser mais importantes que os sentimentos que nutrimos um pelo outro. Isso é ridículo!

— Você sabe que ainda não estou pronta. Desculpe, se não consigo simplesmente esquecer tudo que aconteceu — respondi, deixando transparecer naquelas poucas palavras a dor que ainda sentia por tudo que havia descoberto. — Mas afinal, o que você veio fazer aqui no meio da noite?

— Esqueci — ele respondeu amargo. — Deixa pra lá. Certamente não era importante — e antes mesmo de terminar a frase alcançou a porta, saindo sem olhar para trás.

Corri até a janela com intenção de chamá-lo de volta, mas ele já havia entrado no carro.

O som de Amnesia, da banda 5 Secondes of Summer, poderia ser ouvido de longe por qualquer humano, tal era o volume e parecia ter como único objetivo, abafar qualquer tentativa de contato que eu viesse a fazer.

Fiquei olhando, enquanto ele dava a partida e em poucos segundos, desaparecia na esquina.

Voltei para a cama, encolhendo o corpo em meio aos travesseiros, sentindo-me desamparada e confusa, como uma criança abandonada no meio de uma multidão.

Meu coração queria perdoar, queria ele de volta em minha vida. Mas minha mente insistia em dizer que não. Lembrava-me todo o tempo que eu devia isso aos meus pais e que eles jamais me perdoariam se eu voltasse a viver com o homem que os matou.

Meus pais... Aquele pensamento me levou de volta a antiga casa na França, quando ainda era uma menina. Podia ouvir a voz da minha mãe dizendo que os sonhos são um presságio e que, se você contar para alguém, eles não se realizam.

Sempre que eu tinha um sonho ruim contava para ela. Acreditava que assim impediria que o pesadelo se tornasse realidade. E quando tinha algum sonho bom, não contava para ninguém. Guardava só para mim, como se fosse um tesouro.

Pode ser apenas coincidência, é claro, mas às vezes, eles se tornavam reais.

Sabia que ela estava na janela e que provavelmente estava arrependida, mas agora, a única coisa que eu sentia era raiva. E para o bem de nós dois, era melhor que eu não me aproximasse de Carlie, antes que esse sentimento se exaurisse por completo.

Eu amava aquela mulher e como amava. Havia permitido que ela transformasse muitos de meus piores defeitos em qualidades e talvez, esse tenha sido meu erro. Me transformei em um fraco.

Bastava ela voltear aquele par de grandes e maravilhosos olhos azuis em minha direção e eu cedia, atendendo a todas as suas vontades.

Soquei o volante com tanta força que estourei o revestimento de couro.

— Maldição! — Berrei para o silêncio.

Aquela merda de música estava me deixando deprimido.

Desliguei o som, tentando melhorar a situação, mas só serviu para que um vazio do tamanho do mundo ocupasse seu lugar.

Fiz menção de manobrar e voltar direto para aquele maldito apartamento. Poderia facilmente arrancá-la de lá a força e levá-la comigo de volta para casa, de onde ela nunca deveria ter saído.

— Estúpido! Você foi um estúpido, achando que poderia mesmo voltar à vida de antes, sem sofrer com a ausência dela — me repreendi em voz alta.

Forçosamente, admiti que havia subestimado minha ligação com Carlie. Percebia isso claramente agora. Noah tinha razão, quando mencionou a força imperativa dos laços de sangue. Estava condenado. Pertencia a ela, tanto quanto ela a mim.

Por mais estranho que pareça, aquele pensamento me acalmou. Carlie me amava e disso eu tinha certeza. Estava confusa, magoada e por alguma razão que para mim era inexplicável, se sentia em dívida com os pais, como se ela pudesse ter impedido minhas ações do passado. Mas ainda assim, me amava e eu faria o que fosse preciso para tê-la de volta.

— Nem que leve mil anos, princesa. Mas você voltará a ser minha — sentenciei.

Algumas noites depois...

Tudo que eu desejava era ficar só. Estávamos sob a ameaça de uma guerra e, ao tudo indicava estava, prestes a explodir. Se a profecia se confirmasse, ainda havia a possibilidade de eu ser forçado a passar para o lado do inimigo.

A perspectiva não era nada agradável, mas eu faria o que fosse preciso para impedir que ela se concretizasse.

Sem conseguir relaxar o suficiente para que o sono se sobrepujasse à ansiedade, me dei por vencido, levantando da cama.

Olhei para o relógio que marcava três e vinte da madrugada. Àquela hora as ruas estavam desertas e eu poderia desfrutar de privacidade para me entregar a minhas conjecturas. Precisava clarear as ideias e tentar afastar o pensamento sobre o possível fim da espécie humana na terra.

Eles não tinham a mínima noção do que estava para acontecer e me questionei se aquilo seria mesmo certo. Talvez não, mas a decisão de revelar o que estava por vir não cabia a mim.

O espaço a minha volta parecia cada vez mais opressivo, tornando-se insuportável. Então, deixei o quarto do hotel em silêncio, evitando despertar outros hóspedes e entrei no elevador, acionando o botão do andar térreo.

Ao cruzar a porta de vidro do saguão da recepção, fui tomado de assalto por um vento frio e úmido, que atingiu meu rosto. Mas ao contrário do que seria esperado, a sensação não causou desconforto. Recebi com prazer àquela lufada, que facilmente transpassou a barreira, criada pela malha fina da camiseta, até meu corpo.

Olhei para ambos os lados, escolhendo a ermo uma direção e comecei a caminhar. Alguns minutos e alcancei a avenida que margeava o canal. Cruzei a ponte e segui junto a mureta, pelo outro lado, totalmente absorto em pensamentos.

Recordei a última conversa que tive com Kira e sua menção ao final inevitável que eu teria que dar a essa história, se quisesse realmente garantir a segurança dos humanos por mais alguns séculos.

Junto com esse pensamento, o rosto de Carlie surgiu em minha mente. Apertei o passo, como se quisesse escapar da lembrança, mas a imagem era tão persistente quanto sua dona. Então, me entreguei a ela, sem resistência e deixei que me levasse ao passado recente, quando ainda estávamos juntos e a guerra parecia tão inviável quanto a morte ou a ameaça distante de uma profecia esquecida.

Carlie. Se ao menos tivéssemos mais tempo...

Quando tomei a decisão de me aproximar dela, jamais poderia imaginar que terminaria assim. Parecia um plano perfeito, sem espaço para erros. Afinal, ela era uma vampira e eu um caído.

E agora, ali estava eu, andando sem destino pela noite, pensando na única mulher que realmente havia conseguido romper o gelo do meu coração, desde que cheguei a este mundo. E por sua causa, eu estava prestes a me render aos desígnios de Rafael.

Não que eu fosse contrário a ideia, mas certamente não era assim que gostaria que acontecesse.

Novamente vislumbrei o rosto de Carlie em minha mente.

Como será que ela reagiria quando chegasse a hora?

Tratei de afastar aquele pensamento. Com um pouco de sorte, talvez não precisasse chegar a esse ponto. Mas, para ser sincero, eu não tinha muita esperança.

Quando uma nova rajada de vento voltou a me atingir, minha decisão já estava tomada e eu sabia que não voltaria atrás.

Refiz meus passos, caminhando de volta para o hotel.

No dia seguinte o conselho dos vampiros se reuniria e a aliança seria formalizada. Mas, independente do que fizéssemos, eu sabia que o destino de todos nós já estava traçado.

Aquele que derramar seu sangue comigo, será meu irmão.

Willian Shakespeare - dramaturgo

Capítulo 14
O Conselho dos clãs

Ao olhar desatento de quem observasse de fora, o palacete de Lord Bran parecia abrigar uma festa para quatrocentos convidados, talvez mais.

Mas na verdade, o lugar estava repleto de vampiros, que não paravam de chegar, vindos de várias partes do mundo.

Donovan havia me explicado que apenas os Sirs, chefes de seus clãs ou os Príncipes de cada região — alguns acompanhados por suas esposas e outros membros importantes da família —, estariam presentes essa noite. Além é claro, dos que ocupavam algum cargo no conselho, como cientistas, armamentistas, estrategistas, engenheiros e uma lista infindável, que até então eu sequer tinha conhecimento da existência.

Mas não poderia ser de outra forma, já que as reuniões do conselho eram sempre fechadas, restritas aos homens. E mesmo assim, apenas para os membros convocados.

Deixamos o carro aos cuidados de um dos muitos manobristas na entrada do jardim e seguimos caminhando até o grande salão, onde a maioria já se encontrava.

— De onde surgiu tanta gente? — Perguntei espantada.

— Essa é apenas uma parte de nossa família. Acostume-se, são seus *parentes* também.

Pra variar, Donovan não perdeu a oportunidade. Sempre que podia, fazia questão de lembrar que eu ainda era sua esposa e, portanto, fazia parte do clã.

Olhei para os lados, tentando me familiarizar com tantos rostos, esperando me sentir mais à vontade. Afinal, conhecer seus *parentes* em uma reunião de guerra não é nada convencional.

Alguns eu já conhecia, como Yuri, Noah, Bran e outros que ali se encontravam. Mas os rostos familiares, dispersos pelo salão, eram insignificantes, perante aquela multidão de desconhecidos.

Precisava aprender mais sobre aquelas pessoas, se pretendia interagir com eles sem me sentir uma completa estranha. Então, comecei a buscar no ambiente aqueles que, de alguma forma, me chamaram mais atenção.

Não demorou muito, avistei um homem que sobressaía por sua altura. De pele clara, com olhos cor de mel e longos cabelos dourados presos em um rabo de cavalo, ele lembrava um príncipe nórdico dos romances de época.

Estava sério, parecia um tanto obscuro e aparentemente, tinha o porte atlético, apesar do casaco preto com as mangas rasgadas na altura do ombro, que de tão gasto, mais parecia ter levado uma surra. Usava um jeans desbotado e coturnos pesados, e as mãos estavam cobertas por um par de luvas de couro.

Achei o traje um tanto inapropriado para a ocasião, mas ainda assim, sua presença impunha respeito.

— Don?

— Sim, princesa!

— Quem é aquele com a cicatriz no braço?

Donovan deu uma risada antes de responder.

— Não me admira que Dante tenha despertado seu interesse. Mas é bom avisar: acho que você pode ter alguma dificuldade de se relacionar com ele.

— Por que está me dizendo isso?

— Ele não gosta muito de conversa.

— Então, me conte você alguma coisa sobre ele.

—Tudo bem — Donovan concordou e iniciou seu relato. — Dante era médico e cientista, antes de se converter. Um dos melhores que existia na época.

— Antes de ser convertido, você quer dizer.

— Não. Quero dizer exatamente o que disse.

Desviei meu olhar do louro para Donovan, ainda sem entender o que aquilo significava. Percebendo minha confusão, ele se antecipou.

— Deixa eu te explicar umas coisinhas sobre ele e você vai entender. Dante tinha uma vida perfeita ao lado da esposa, Ana Belle. Até que, sem mais nem menos, uma bruxa os atacou. Destruiu a casa onde viviam e, em meio à luta, Ana Belle que estava grávida, deu a luz a um menino. A bruxa se aproveitou da oportunidade e pegou a criança recém-nascida, fugindo para longe do vilarejo onde eles viviam. Mas não sem antes deixar claro que mataria o bebê.

— Está falando de uma bruxa de verdade? — Quase soltei uma gargalhada diante da imagem que me veio a cabeça. — Pensei que elas estivessem extintas há séculos.

— E estão, ou quase isso. De qualquer forma já faz muito tempo.

— Certo, mas isso não explica como ele se tornou um de nós.

— Ana Belle ainda se recuperava da perda de seu primogênito, quando inconformado, Dante começou a mexer com alquimia e magia negra. Quebrou todas as regras da natureza com seus experimentos. Foi então que ele conheceu um Sir. Naquela época os hábitos eram bem diferentes e como você pode imaginar, não era comum um humano ser abraçado de livre e espontânea vontade. Mas Dante estava determinado e não foi difícil convencer o vampiro a transformá-lo, em troca de alguns favores concedidos através da alquimia.

— E o que aconteceu com Ana Belle?

— Dante a convenceu a se tornar uma de nós também, alegando que assim, ambos seriam fortes o suficiente para ir atrás da bruxa em busca de vingança. Por volta dos anos vinte, reencontraram a mulher que havia matado seu filho. Outra luta foi travada e pelo que se sabe, durou um dia inteiro, mas mesmo cansados e feridos, os três se mantiveram de pé. Foi nessa luta que ele ganhou a cicatriz no braço, por meio de um feitiço que quase o matou, mas que de alguma forma incompreensível, ele resistiu.

A história daquele homem era tão fascinante que eu havia me esquecido até mesmo de onde estava e quando Donovan parou de falar, praticamente implorei para que contasse mais.

— Por favor, Don. Isso não é justo. Sabe como sou curiosa. Agora precisa terminar. Quero saber o que aconteceu depois.

— Tem certeza? O fim dessa história não é nada bonito.

— Tenho. Pare de me enrolar e conte logo.

Donovan riu, divertindo-se com minha reação e então, prosseguiu em seu relato.

— Quando finalmente Dante conseguiu arrancar o coração da bruxa, Ana começou a sangrar pela boca, desabando no chão e ele descobriu tarde demais, que a bruxa havia lançado um feitiço de ligação em Ana Belle. Ela morreu, mas levou Ana com ela e seu feitiço deixou Dante com sequelas irreversíveis.

— Nossa! Que história trágica. Deve ser por isso que ele parece tão sombrio.

— Eu avisei que não tinha um final agradável.

Deixei meus olhos correrem pelo salão, ainda pensando sobre a história que tinha acabado de ouvir. Claro que Donovan podia estar exagerando um pouco, só para me impressionar, mas ao observar novamente aquele homem, alguma coisa em sua expressão me disse que tudo era verdade.

Decidi não pensar mais sobre aquilo e desviei minha atenção para outra figura, que mantinha uma conversa animada com um grupo em um ponto mais distante do salão.

— E aquele quem é?

— Curioso como você escolhe justamente os membros mais interessantes — Donovan respondeu irônico.

— Vai me dizer quem é ou devo ir até lá e perguntar diretamente a ele?

— Aquele é Cesar — ele prosseguiu entre risos. — Cesar é um inventor. O cérebro do Conselho. Pode criar uma arma perfeita para você, somente observando algumas características de seus dons e ele sempre acerta. Além disso, é um excelente estrategista em batalhas.

— Foi ele que criou sua espada?

— Sim. E as outras armas também.

— Hum! Essa informação pode ser útil.

— Nem pense nisso. Está fora de questão.

— Como sabe no que eu estava pensando?

— Se não a conhecesse tão bem, talvez você até conseguisse me manipular, princesa. Mas a resposta é não.

Dei-me por vencida, por enquanto, mas é claro que a ideia de possuir uma arma feita exclusivamente para mim, com o intuito de aproveitar o melhor de meus dons, não seria esquecida assim tão facilmente quanto Donovan gostaria.

Aproveitando que os outros estavam distraídos demais para prestar atenção em nossa conversa, Donovan me contou um pouco sobre mais alguns membros do clã.

Cada um tinha uma história fantástica, anormal, ou mesmo absurda, e pareciam fortes demais, não só fisicamente.

Tentei encontrar alguém comum, que não tivesse nada de tão inusitado em seu passado e logo avistei um rapaz do outro lado do salão. Era mais baixo do que a maioria e meio franzino também. O tipo de pessoa de quem não se esperaria muito.

— Quem é ele?

Donovan acompanhou a direção de meu olhar e respondeu sério.

— Aquele é Boris, irmão de Vladimir.

— Vladimir? Não me lembro de ter conhecido alguém com esse nome.

— Você não o conheceu e nem terá o desprazer de conhecer. Vladimir está morto.

Guardei a informação, pois algo na expressão de Donovan me fez perceber que ela era importante.

— Existe alguma coisa sobre Boris e Vladimir que eu deveria saber?

Donovan me olhou hesitante, como se estivesse decidindo se deveria ou não me contar.

— Há algum tempo, Boris foi escolhido para integrar a Among Us, mas não como um simples soldado. Yuri lhe ofereceu um lugar de destaque na organização, atuando como seu homem de confiança.

— Para ocupar o lugar que você deixou quando se afastou, estou certa?

— Não poderia ser mais precisa. Porém, Boris recusou o convite e com isso Vladimir acabou ocupando a posição — Donovan fez uma pausa e observou melhor o alvo de nossos comentários, antes de prosseguir. — Desde a morte de Vladimir, há mais de um ano, o lugar está desocupado e é bem provável que agora, tentem recrutá-lo novamente.

— Mas, tanto tempo depois, porque fariam isso?

— O tempo era necessário para que Boris se recuperasse de sua perda. Pra falar a verdade, sempre houve muita rivalidade entre os irmãos. Era comum terminarem uma reunião com alguma briga e às vezes, tínhamos que separar antes que se matassem.

— Você fala isso como se fosse a coisa mais natural do mundo.

— Precisa saber de uma coisa, princesa. Eu e o caído lutamos contra Vladimir quando você foi sequestrada e o matamos, antes que tivesse chance de impedir seu resgate.

Então, essa era a informação importante que Donovan estava tentando ocultar. Por isso ficou tão sério quando perguntei sobre Boris. A animosidade entre eles devia ser enorme e talvez não fosse prudente que Donovan lutasse ao lado daquele homem.

— Você acha que Boris quer vingar o irmão? — Perguntei preocupada. — Don, não pode confiar de lutar ao lado de Boris. Você matou o irmão dele.

— Não se preocupe. Boris e Vladimir nunca se deram bem. Acho até que ele gostou de saber que não precisará mais disputar com o irmão.

E para colocar um ponto final no assunto, Donovan desviou minha atenção para duas mulheres que acabavam de chegar.

— Está vendo as gêmeas?

— O que têm elas? Não me diga que faziam parte do seu harém antes de ficarmos juntos.

— Qual o problema? Por acaso está com ciúmes, princesa? — Don perguntou cinicamente.

Não respondi, limitando-me a observar a forma como as duas morenas cruzavam o salão, despertando o olhar de todos os homens ao redor.

— São Alana e Alexia, mas você não tem com que se preocupar. Elas são lindas, sexys, mas não fazem o meu tipo. Possuem um temperamento muito explosivo.

— Sei...

— Estou falando sério, Carlie. Elas odeiam que confundam seus nomes e quem comete esse erro, costuma pagar com a vida. Sendo assim, tente se referir a elas de outra maneira, ok? Não quero ter que matar ninguém hoje.

— Por enquanto, prefiro evitá-las.

— Falando nisso, aí vem o problema.

— Que problema? — Observei ao redor, mas a única pessoa que identifiquei vindo em nossa direção foi Dante.

— Lembra quando falei que seria difícil lidar com ele? — Donovan perguntou, enquanto Dante se desvencilhava das pessoas no caminho, rumando direto para nós.

— Ele não me parece tão ameaçador quanto você quer me fazer crer. Não depois de conhecer sua história.

— Tá legal! Só não toque nele, entendeu? Nunca. Nem um aperto de mão.

— Como assim? — Perguntei, vendo que Dante já se encontrava bem próximo de nós. Próximo o suficiente para não perder uma só palavra de nossa conversa.

— É que esqueci de mencionar a maldição. Antes de morrer, a bruxa o condenou a nunca mais tocar em alguém. Se isso acontecer, a pessoa em quem ele tocar explode. Acho que você consegue entender o quanto isso é perigoso.

— E então? Tentando assustar a moça, Hunter?

— Apenas dando alguns conselhos.

— Não acredite em tudo que ele disser — Dante brincou e segurou minha mão, levando-a até os lábios, num gesto elegante que foi logo interrompido por Donovan.

— Como está meu amigo?

— Não tão bem quanto você, imagino — Dante respondeu, sem desviar os olhos de minha direção, e completou: — Lamento não ter comparecido a festa por sua união. Mas soube que você havia conquistado uma bela princesa e agora vejo que os boatos eram verdadeiros.

— Ela é sua *Princesa* também. É bom não esquecer — Don enfatizou a palavra, fazendo uma referência clara a hierarquia do clã.

— Sabe que isso jamais aconteceria, irmão.

A conversa teve que ser interrompida, pois Lord Bran pediu a atenção de todos.

— Senhores, como já foram informados através das mensagens enviadas a cada *família*, estamos enfrentando uma séria ameaça, que pode culminar com nossa extinção. Por esse motivo estamos aqui reunidos essa noite, para que cada um de vocês defina sua posição e consolide a participação de sua casa no pacto que elaboramos com os celestes, para deter nosso inimigo comum.

— Morte a todos os caídos! — Alguém gritou do fundo do salão.

Murmúrios de aprovação foram ouvidos e até mesmo alguns palavrões foram pronunciados, antes que Lord Bran retomasse a palavra e acalmasse os ânimos.

— Cavalheiros, sei o quanto todos estão ansiosos por uma boa luta contra os caídos, mas peço que se contenham. Lembrem-se que, ao contrário do que normalmente acontece, essa noite temos muitas damas presentes, já que concedemos essa exceção por se tratar de um tema que envolve a todos. Sendo assim, peço que guardem as manifestações mais calorosas para um momento mais adequado.

No meio da multidão de vampiros, um homem, que eu não fazia ideia de quem era, levantou a mão pedindo a palavra.

— Lord Eliot, gostaria de dizer algo? — Bran perguntou, direcionando sua atenção para ele.

— Não quero contestar sua autoridade, Lord Bran, mas fui informado de que um representante de nosso inimigo estaria envolvido com alguns membros do conselho e que sua presença será imposta a nós. Isso é verdade?

— Vejo que as informações que chegaram a Londres não estavam completas e peço desculpas por esse inconveniente — Bran respondeu. — Sim, é verdade. Mas lhe asseguro que após se inteirar sobre os detalhes que envolvem a questão, você, assim como todos os outros, concordará que essa é a melhor opção. Por agora, peço apenas que o receba respeitosamente, como faria com um de nós.

— Isso é inadmissível! — O homem, que agora eu sabia se tratar de um Sir inglês, protestou. — Considero um afronto a nossa comunidade, principalmente diante de tudo pelo que estamos passando. Já não basta termos que fazer uma aliança absurda com os celestes, ainda temos que aceitar um caído entre nós? Como podem concordar com tamanha abominação?

Eliot bradava, tentando insuflar outros membros a se manifestarem a seu favor.

— Basta, Eliot! Cale-se. Se não é capaz de se conter até se inteirar dos motivos que nos levaram a essa decisão, sugiro que se retire e volte para a Inglaterra agora mesmo — Lord Bran declarou, usando de sua autoridade como chefe do conselho para por um fim a discussão.

O homem não retrucou, ainda que bastasse olhar em seus olhos para saber que permanecia contrariado.

Conforme mais membros dos clãs se uniam aos que já haviam chegado, a sala parecia cada vez menor. Até que notei uma movimentação diferente próxima a entrada e avistei John, acompanhado de um pequeno grupo.

Não precisava ser nenhum expert para saber que se tratava de outros caídos. A diferença da energia deles era gritante e os denunciou assim que surgiram na porta.

Imediatamente, os murmúrios recomeçaram e o clima, que já estava pesado, só piorou.

Ignorando a todos, John caminhou direto até onde estávamos.

— Esse é o seu grande reforço, Fallen?

— Não nos subestime, Donovan. Você pensa que sabe tudo sobre nós, mas ainda não faz nem ideia do que somos capazes. Além do mais, quantidade não é garantia de que venceremos essa guerra. O que precisamos é de homens com habilidades desenvolvidas, que possam enfrentar os caídos.

Johnatan parecia muito incomodado por estar rodeado de tantos vampiros. De todos nós, ele era o que tinha mais motivos para desejar que aquela ameaça de guerra acabasse logo. Se não fosse por isso, jamais estaria ali.

— Está colocando em dúvida as habilidades de nossos guerreiros? — Donovan retrucou, sem se importar com o desconforto causado pela situação.

— Você não quer comparar as habilidades de um grupo de vampiros com um exército de anjos. Ou será que quer tirar a dúvida?

Aquilo já estava passando dos limites. Eu não podia ficar quieta vendo-os discutir feito dois idiotas.

— Não acredito no que estou ouvindo! Estamos prestes a entrar em uma guerra e vocês discutindo como duas crianças pra saber quem é o mais forte?

Dante, que assistia a cena, ao invés de me apoiar, se limitou a rir, como se aquela briguinha fosse algo divertido. E então, do nada, Donovan me segurou pelo braço e foi logo dizendo:

— Acho melhor você ir agora, Carlie.

Olhei para ele sem acreditar no que ouvia. Aquela atitude era machista demais, até mesmo para Donovan.

Minha expressão deve ter refletido exatamente o que eu pensava, pois no mesmo momento Dante interviu, segurando minha mão entre as suas.

— Acredite quando digo: sei exatamente o quanto é prazeroso contrariar meu amigo aqui. Certo, Hunter?

Dante piscou para Donovan, exibindo um sorriso de vitória, certamente se referindo a algum fato que eu ainda desconhecia. Mas Don simplesmente não respondeu, deixando que ele prosseguisse com seus argumentos.

— Mas dessa vez ele tem razão. Os ânimos ainda vão esquentar muito por aqui, antes de chegarmos a um acordo. Pode chamar de *"competição machista para ver quem grita mais alto"*.

Ri da espontaneidade com que ele fazia piada da situação e não pude deixar de notar que minha reação incomodou Donovan ainda mais.

— Seja como for — Dante prosseguiu —, não será um espetáculo gracioso e certamente não está à altura dos olhos de tão bela dama.

— Tá legal, Dante! — Donovan interrompeu com ar entediado. — Acho que Carlie já entendeu. Não é mesmo, *esposa*?

A maneira como enfatizou a última palavra, ao mesmo tempo em que passou o braço possessivamente sobre meus ombros, era uma inegável demonstração de ciúmes. E para não me dar chance de contestá-lo, completou:

— Vamos! Vou acompanhá-la até o carro.

Sem alternativa, já que praticamente tinha acabado de ser expulsa da reunião, me deixei conduzir para fora do palacete. Meu consolo foi perceber que eu não era a única mulher a me retirar.

Por Lilith! Estávamos no século XXI. Mesmo assim, parecia haver um consenso entre os homens e aquela era nossa deixa para sair. Aquilo era ridículo! Em que época eles pensavam que vivíamos, afinal?

Sem se importar com minha evidente frustação, Donovan abriu a porta do motorista e depositou a chave do carro em minha mão.

— Se eu levar o carro, como você vai voltar? — Perguntei, tentando fazê-lo repensar a decisão, mas ele simplesmente ignorou.

— Vá direto para a mansão e peça a um dos guardas para trazer o carro de volta. Ocupe seu antigo quarto se quiser, mas não saia de lá até que eu chegue.

— Só isso, ou vai me dar mais alguma ordem?

— Esse não é o lugar nem o momento para suas demonstrações de teimosia, Carlie — foi sua resposta, ao bater a porta do carro e acenar para que eu desse a partida. — E não pare na estrada — ele concluiu, como se já não tivesse feito recomendações suficientes.

Não parar na estrada? Quem ele pensava que eu era? Alguma tonta desmiolada, talvez.

Estava tão imbuído em representar o papel de marido possessivo, que nem se deu conta de que não estávamos mais na presença dos outros. Na certa, queria garantir sua demonstração, caso estivéssemos sendo observados por algum intrometido.

Mas se Donovan pensava que com meia dúzia de palavras machistas conseguiria me deixar de fora daquela guerra, estava muito enganado. Eu provaria a ele que posso ser tão boa em combate quanto qualquer outro.

Apesar da raiva, pela maneira como havia me obrigado a me retirar da reunião, fiz exatamente o que ele mandou.

Ao chegar a mansão, entreguei a chave do carro para um dos homens da Among Us que fazia a segurança da casa, orientando-o a levar o veículo de volta para o palacete, e entrei.

Do lado de fora, nosso antigo lar havia se transformado em uma espécie de quartel general da Among Us, com vampiros armados até os dentes, espalhados por cada canto dos jardins.

Mas em seu interior a casa permanecia a mesma e foi reconfortante constatar que os objetos que eu havia deixado para trás ainda estavam no mesmo lugar, como se aguardassem meu retorno.

Subi as escadas e não resisti ao passar pelo quarto de Donovan. Entrei e caminhei sem pressa até o closet. As camisas enfileiradas nos cabides pareciam pedir por um carinho. Estendi a mão, sentindo o toque dos tecidos suaves brincando entre meus dedos.

Deixei-me ficar por mais algum tempo naquele ambiente impregnado pelo cheiro de Donovan, antes de retornar ao quarto.

O lençol desalinhado sobre a cama, que dominava o cômodo, revelava que ele esteve deitado ali antes de sair para me buscar. Em um impulso deitei-me, afundando a cabeça em seu travesseiro macio, pensando em quantas vezes fizemos amor naquele mesmo lugar.

— Don... Se ao menos eu conseguisse esquecer o que você fez naquela noite — lamentei em voz alta. — Por que não apagou minha memória quando descobri tudo? Teria sido tão mais fácil... E ainda estaríamos juntos.

As lágrimas escaparam de meus olhos, rolando descontroladas e molhando o travesseiro, mas não me importei. Ele certamente ainda demoraria muito para chegar e até lá, elas já teriam secado.

Levantei-me, sem me preocupar em disfarçar os vestígios de minha presença e fui para meu antigo quarto. Atirei-me na cama, com a mesma roupa que havia usado para ir a reunião do conselho e adormeci, quase instantaneamente.

Meu último pensamento foi para Lívia. Sentia falta de minha amiga brasileira, com quem certamente poderia conversar sobre o que estava acontecendo entre eu e Donovan. Mas ela estava muito longe e duvidava que pudesse se afastar de suas pesquisas, e cruzar o oceano, só para ouvir meus lamentos.

Quando despertei, na manhã seguinte, um plano já havia se formado em minha cabeça. Donovan ainda dormia e achei melhor não acordá-lo, pois não fazia ideia da hora que ele havia chegado.

Precisava voltar para a cidade, mas meu carro tinha ficado na garagem do prédio. Sabia que Don não se importaria se eu pegasse o carro dele, mesmo assim, optei por levar um dos veículos usados pelos Among Us, já que havia vários estacionados próximos a garagem da mansão.

Enquanto dirigia, liguei para Johnatan e marquei um encontro para aquela tarde mesmo. O tempo era um fator crucial para que meu plano desse certo e não dispúnhamos de muito, pois a guerra poderia começar a qualquer momento.

Insatisfeito com a labareda, ardo para me consumir!

Friedrich Nietzsche - filósofo

Capítulo 15
O pedido de Carlie

Pontualmente às quatro da tarde, Carlie cruzou o saguão do hotel, vindo direto para o restaurante anexo, que àquela hora se encontrava praticamente vazio.

Como de costume, eu já estava a sua espera.

— Está tudo bem? Você parecia agitada ao telefone.

Sem fazer rodeios, ela começou a explicar o motivo da visita.

— Preciso de sua ajuda, John.

— O que aconteceu? Algum problema com Donovan?

— Dessa vez não. Quero que você me ensine a lutar.

— Pelo que sei você já recebeu um treinamento.

— Sim, mas agora é diferente. Preciso aprender a lutar de verdade. Usar as armas que estiverem disponíveis e matar se for preciso.

O pedido de Carlie me pegou de surpresa. Eu havia imaginado vários motivos que poderiam levá-la ao meu encontro, mas esse jamais passaria por minha cabeça.

— Espere um pouco, mocinha. Não acha que já se envolveu demais nessa história? Para que precisa aprender a matar? Se está pensando que...

— Eu pensei que pudesse contar com você — ela me interrompeu antes que terminasse a frase. — Você é o único que não pensa como eles. Ao menos não pensava. Por favor, John! Tenho que fazer isso e preciso da sua ajuda.

Ponderei sobre a questão, adiando um pouco a resposta. Na situação atual, eu não podia fazer alguma coisa que irritasse Donovan e colocasse em risco a aliança com os vampiros, que já era frágil.

Por outro lado, eu conhecia Carlie muito bem e sabia o quanto ela podia ser teimosa quando enfiava algo na cabeça. Se me recusasse a ajudá-la, com certeza ela procuraria outra pessoa, até encontrar alguém disposto a fazer o que ela queria.

— Tudo bem! — Concordei. Se ela estava determinada a aprender a lutar, seria melhor que fosse eu a ensiná-la.

— Sério? — Ela perguntou empolgada.

— Sim. Mas com uma condição. Vamos treinar em segredo. Não quero ter problemas com Donovan, Noah, ou qualquer outro membro do conselho, enquanto durar a aliança.

— Aceito! Será como você quer. Obrigada, John!

— Não me agradeça ainda. Talvez você mude de ideia depois da primeira aula.

— Não conte com isso, eu não vou mudar de ideia. Quando podemos começar?

— Se está assim tão ansiosa, que tal essa noite, em seu apartamento?

— Combinado! Estarei te esperando.

E dizendo isso, ela depositou um beijo em meu rosto e se foi.

Eram oito horas quando cheguei ao terceiro andar do prédio de Carlie e para minha surpresa, a porta já estava aberta. Entrei, fechando-a silenciosamente após minha passagem.

Logo ela surgiu vinda da cozinha, com uma taça de vinho na mão. Usava uma malha negra aderente, que cobria quase todo seu corpo e ainda assim, a deixava extremamente sexy.

— Você demorou.

— Primeira lição — falei, retirando a taça de sua mão e depositando sobre a mesa —, álcool e espada não é uma boa combinação.

— Sou uma vampira, esqueceu? O álcool não afeta meus instintos, nem minha percepção.

— Está pronta para começar?

— Quando você quiser — ela declarou olhando direto em meus olhos.

Sem desviar o olhar, dei a volta ao seu redor e segurei uma mecha de seu cabelo.

— Você está linda assim!

— Achei que íamos...

— Shi! — sussurrei ao seu ouvido, me posicionando displicentemente atrás dela, enquanto brincava com os fios entre meus dedos. E inesperadamente, segurei-a pelo pescoço, seu braço direito pressionado contra meu peito. A outra mão prendia sua cintura e travava o braço esquerdo junto ao corpo, imobilizando-a.

Ela tentou se desvencilhar em vão e deixei que se debatesse um pouco antes de derrubá-la com um golpe. Caí sobre ela, prendendo-a entre minhas pernas.

— Onde estava sua super velocidade? Por que não a usou?

— Isso não foi muito justo — ela choramingou. — Você trapaceou.

— E acha que seu inimigo não vai trapacear?

Ergui o corpo, estendendo a mão para ajudá-la a se levantar.

— Vamos tentar de novo. Mas dessa vez, concentre-se, mocinha.

Passei a próxima hora descobrindo o que ela sabia sobre lutar e até onde tinha ido o treinamento aplicado por Donovan.

Carlie não era tão inexperiente, sabia se defender, mas não tinha sido treinada para atacar. Seus golpes não surtiam efeito em mim, apesar da velocidade surpreendente que ela conseguia imprimir.

Contra um humano ela certamente se sairia bem, mas se enfrentasse um caído, seria eliminada rapidamente.

— Lutar é como dançar — declarei, interceptando mais uma de suas tentativas fracassadas de me atingir. — Você precisa manter o ritmo — outro golpe interceptado prontamente.

Ela parecia uma criança brincando de luta com o irmão mais velho.

— Não está se concentrando.

— Fica um pouco difícil me concentrar com você falando o tempo todo.

— Carlie, preste atenção! Tem que fazer com que o adversário te acompanhe. Precisa atraí-lo, envolvê-lo, conduzindo-o para o seu objetivo, não se deixar levar pelo ritmo dele — falei enquanto repelia outro de seus golpes. — E quando ele estiver completamente enredado — girei inesperadamente para a direita, fazendo com que a espada em minhas mãos resvalasse no ar —, você o surpreende.

E, de repente, estávamos novamente no chão. Carlie presa sob meu corpo, minha espada roçando seu pescoço.

— Entendeu?

— Entendi — ela respondeu, constrangida pela facilidade com que a dominei.

Pressionei a espada contra sua pele e olhei firme em seus olhos, para garantir que ela compreenderia minhas próximas palavras.

— Mas, se não tiver determinação suficiente para ir até o fim, nada disso adiantará.

— Quer dizer, coragem para matar, não é?

— Você entendeu.

— Nunca matei ninguém, John. Não sei se estou preparada.

— Mas se levar isso adiante, vai matar. Terá que fazer, para sobreviver — retorqui, retirando a espada de sua garganta e erguendo o corpo.

— Venha! — Estendi a mão para ela. — Por hoje chega.

Apesar da reunião do conselho, precisávamos seguir com nossas vidas e aguardar, pois os indícios que levavam a guerra eram muitos, mas nada havia de concreto até agora.

Mudar nossas rotinas só serviria para demonstrar que temíamos a batalha. Por isso, achei que seria uma boa ideia ter um pouco de distração na tarde seguinte.

— Tudo isso é muito estressante, Elise! Não consigo mais ter um minuto de lazer, sem que algo me faça lembrar a ameaça da guerra.

— Somos duas! Não aguento mais ficar presa em casa, imaginando o momento em que alguém vai entrar e anunciar que começou. Preciso fazer alguma coisa ou vou enlouquecer.

— E se fossemos ao Bibi´s Diner?

— Está louca! Nossa presença será notada antes mesmo que tenhamos a chance de pedir a primeira taça de vinho ou saborear um café.

— Não acho que isso seja um problema. Aliás, se quer saber, seria perfeito! Poderíamos sair um pouco desse clima apreensivo em que estamos e ainda aproveitaria para me abastecer antes de voltarmos. Meu estoque praticamente esgotou. Estava mesmo pensando em ligar e pedir uma entrega. Além disso, onde poderíamos estar mais seguras?

Deixamos o prédio no carro de Elise. O trânsito estava bom e em menos de dez minutos, cruzamos as ruas que nos separavam de nosso destino.

Logo ocupávamos uma das charmosas mesas dispostas na calçada, em frente a vitrine de vidro, que permitia ver o interior da lanchonete.

Pedimos duas taças de vinho e nos permitimos conversar por horas, sobre qualquer assunto que não tivesse relação com a tentativa de insurgência por parte dos caídos, ou com a guerra que estava por vir.

— Foi a melhor coisa que fiz em semanas — declarei.

— Eu também, mas ficamos fora por muito tempo. O sol já está se pondo e, com certeza, meu querido irmãozinho já foi avisado de que estamos aqui. Precisamos voltar antes que Donovan surte e mande alguém nos expulsar.

— Tem razão! Vou pedir uma remessa de sangue para viagem e voltamos para a prisão.

Bibi´s Diner – Conhecido Bistrô localizado na Rosengarden que, hipoteticamente, serve de fachada para uma Casa Paraíso.

Deixamos o Bibi´s Diner e caminhamos tranquilamente pelas ruas, até o ponto onde havíamos estacionado o carro. O sinal estava com defeito e um policial fazia o trabalho de controle do fluxo.

Ao contrário de quando chegamos, àquela hora o transito já estava bem movimentado, pois os humanos deixavam seus locais de trabalho para voltarem para a suas casas.

Como a última coisa que queríamos era chamar atenção, aguardamos junto com os outros, até que o policial parasse os carros para atravessarmos a rua. Foi então que uma cena bizarra se desenrolou bem na nossa frente.

Começamos a atravessar a pista e conforme me aproximei do policial, que estava parado no centro da rua à frente da fila de carros, percebi que ele olhou diretamente para mim, como se me reconhecesse.

Quando passamos a seu lado ele esboçou um sorriso e então, inesperadamente, sacou o revolver que carregava na cintura e apontou para a própria cabeça.

O sorriso ainda dançava em seus lábios quando puxou o gatilho.

A cena parecia se desenrolar em câmera lenta, mesmo assim não tive reação. Fiquei ali, de pé no meio da rua, vendo a bala perfurar seu crânio e o homem cair no asfalto.

Elise puxou meu braço, bastante assustada com a atitude inexplicável do policial. O sangue agora deixava seu corpo, formando rapidamente uma poça viscosa no chão e inúmeros curiosos começavam a se aglomerar ao redor, sem entender o motivo pelo qual ele havia se suicidado.

— Mas o que foi isso, Carlie?

— Eu não sei, mas é melhor sairmos rápido daqui.

Sinto que estou me consumindo em fogo e maldição.

Carlie Marie - vampira

Capítulo 16

O inimigo se aproxima

Deixei Elise em casa e voltei rapidamente para meu apartamento. Sabia que aquela altura as notícias já teriam chegado aos ouvidos de Donovan e como imaginei, não demorou muito para ele aparecer.

— Oi Don!

— Lembro perfeitamente de ter dito ontem para você não sair da mansão até que eu chegasse.

— E eu não saí. Você estava dormindo.

— Ah, sim! Isso faz toda a diferença. Foi por isso que você aproveitou para se arriscar com a destrambelhada da Elise.

— Aquilo não foi nada.

— Não foi nada? — Ele esbravejou, repetindo minhas palavras como se eu tivesse dito algo absurdo. — E se ao invés de atirar na própria cabeça, ele tivesse te atacado?

— Agora você está exagerando. Era só um humano.

— Sim, um humano. Mas nós sabemos muito bem quem o estava manipulando.

Fiquei calada. Não tinha o que argumentar diante daquele fato.

— Responda princesa! O que você faria? Por acaso iria expor seus poderes no meio de uma rua repleta de gente, para se defender?

— Tudo bem! Você tem razão. Mas não aconteceu, ok! E eu estou bem.

— Carlie, não pode continuar sozinha nesse apartamento. Está se expondo ao perigo desnecessariamente.

— Sei que você se preocupa comigo, mas estou bem e posso me cuidar. Eu sei me defender, Don. Você me treinou, lembra?

— Sei disso, mas ficaria muito mais tranquilo se você estivesse na mansão, sob minha proteção.

— Don... não vamos voltar a esse assunto agora. Por favor! Depois que isso tudo passar podemos ter essa conversa... Quando tudo estiver tranquilo outra vez e nossas vidas voltarem ao normal.

— Você acredita mesmo nessa possibilidade, não é? De que tudo voltará a ser como antes.

— Não sei mais em que acredito, mas tenho esperança.

— Tomara que esteja certa — Donovan falou, depositando um beijo em minha testa.

Retribuí ao beijo com um abraço e permaneci colada a ele por algum tempo.

— Eu preciso ir. Yuri está me aguardando. Temos que planejar o ataque aos caídos.

— Vocês vão atacar antes? — perguntei, surpresa com aquela informação.

— A ideia é essa. Tentar detê-los, antes que Azazel tenha tempo de organizar seu exército — ele fez uma pausa e se soltou de meu abraço. — Cuide-se, princesa! Não quero que os caídos ponham as mãos em você, entendeu? Isso me deixaria a mercê de Azazel.

— Fique tranquilo. Isso não vai acontecer. E Don... tome cuidado. Não quero perdê-lo.

Donovan se foi, me deixando sozinha no apartamento. Eu sabia que a preocupação dele em relação aos caídos não era em vão. Por isso mesmo, tinha que estar preparada, caso algo acontecesse.

Peguei o celular e teclei o número de Johnatan.

— Carlie, está tudo bem? — Ele atendeu com um tom preocupado na voz.

— Tudo bem, John. Só quero saber se podemos continuar o treinamento hoje.

— Hoje? Espere um momento.

Johnatan parecia indeciso, mas aguardei, torcendo para que sua resposta fosse sim.

— Vamos fazer o seguinte: estou a caminho da reunião que Bran convocou e não sei que hora estarei livre. Mas, assim que acabar eu ligo de volta pra você e se estiver disposta, posso ir direto para seu apartamento. Tudo bem?

— Combinado. Não posso fazer nada mesmo, além de ficar confinada aqui esperando que alguma coisa aconteça.

Johnatan riu do outro lado da linha e aquele não era um bom sinal. Ele estava começando a ter pensamentos muito parecidos com os de Donovan.

— Está bem, mocinha. Eu passo por aí mais tarde.

Sem muito que fazer, liguei o som e escolhi um livro ao acaso, me acomodando no sofá. Era uma boa forma de forçar o tempo a passar mais rápido e controlar a ansiedade, até que Johnatan desse notícia. Mas, por mais que me esforçasse, a história não conseguia prender minha atenção.

Eu sabia que a culpa não era do livro e sim minha. Simplesmente, não conseguia tirar a guerra da cabeça.

As horas se arrastavam como se fossem dias e, a cada minuto, eu ficava mais ansiosa. Já estava achando que Johnatan não viria, quando finalmente o telefone tocou.

— John! Pensei que tinha desistido.

— Só preciso pegar uma coisa no hotel, mas já estou a caminho.

Quando cheguei ao apartamento de Carlie, o som de Fallen Angel, de Three Days Grace soava a todo volume. Ela já estava pronta e não perdeu muito tempo com conversa. Queria recomeçar o treinamento imediatamente, determinada a aprender tudo em uma única noite.

Tinha que admitir que ela estava se esforçando e os resultados já começavam a aparecer. Mas ainda havia muito a ensinar e pelos planos que foram traçados na reunião de hoje, nosso tempo se esgotaria em breve.

— Carlie, precisa se concentra mais. Não pode perder o foco ou abrirá brecha em sua defesa.

— Juro que estou tentando, mas é complicado manter a defesa e ataque no mesmo ritmo.

— Eu trouxe uma coisa pra você que pode ajudar.

John deixou a espada de lado e abriu a mochila, tirando de dentro dela um chicote muito longo, que esticado tinha quase a minha altura. Pegou também uma pequena adaga, que reluziu em sua mão.

— O chicote permitirá que se movimente melhor, atingindo o inimigo de uma distância mais segura. Em Nova Orleans, vi o que você fez com uma arma desse tipo e, naquela ocasião, você se saiu muito bem.

— Obrigada, John! Nem vou perguntar onde o conseguiu.

Johnatan riu de meu comentário e então prosseguiu.

— Agora precisa aprender a usar a adaga para finalizar o inimigo. Ela é celestial. Mata instantaneamente, um anjo ou um caído, do mesmo jeito que uma estaca pode matar vocês se atingir o local correto. Compreendeu?

— Sim.

— Certo. Vamos tentar algo básico. Quero ver como você se sai com as duas armas.

Ao utilizar o chicote me senti mais livre. Não que a espada fosse difícil de manusear, mas com o chicote eu me sentia mais segura. Com ele eu poderia golpear um inimigo, enquanto usava meus dons para me proteger de outro.

Conforme John orientou, mantive a adaga na outra mão, para facilitar o uso no momento preciso. E, de repente, foi como se eu tivesse nascido pra fazer aquilo. Tudo parecia fácil demais e até consegui derrubá-lo por duas vezes.

— Você superou minhas expectativas. Parabéns, pequena! Acho que podemos parar por hoje.

— O que foi? Está cansado de apanhar, mestre? — Ela provocou, se divertindo com sua vitória e fiquei feliz ao ver sua alegria em me superar.

— Não me provoque, mocinha. Ou serei forçado a lhe ensinar uma lição.

Por um momento nossos olhares se cruzaram e senti que o antigo fogo que existia entre nós reacendia. Mas durou apenas um segundo e logo ela se recompôs.

— Quer beber alguma coisa? — Perguntou, desviando o olhar e soltando a adaga sobre a mesa.

— Não. Eu preciso ir. Já está tarde e combinei de passar na casa de Donovan amanhã cedo.

— Tudo bem, então. Boa Noite, John! — Ela se despediu com um beijo em meu rosto.

— Até breve, Carlie!

Noah estava especialmente misterioso aquela noite e eu desconfiava que conhecia o motivo de sua pressa, já que eu próprio não pretendia passar mais uma noite em função dos preparativos do conselho.

— Essa guerra ainda não começou e não começará até que os malditos caídos façam algum movimento. Então, por enquanto, o plano é continuar agindo como sempre e não levantar suspeitas sobre o que estamos preparando para eles.

— Você que sabe, Donovan. De qualquer forma, não poderei acompanhá-lo. Tenho outros planos para essa noite.

— Alguém que eu conheça? Ou esse é mais um de seus segredos?

— Nada de mais. Só um pouco de diversão.

— Não sei por que, mas tenho a impressão de que a palavra diversão não combina muito com você.

— Aproveite a noite, Donovan! — Noah me deu as costas, enquanto um sorriso brotava no canto de sua boca. — E não se preocupe, consigo me divertir sem causar muito estrago.

A partida de Noah deixou um peso no ar, como uma referência de que o tempo estava se encurtando para todos nós. Por mais que a ideia não agradasse, a guerra viria em breve e muitos seriam levados por ela.

Decidido, subi os degraus que levavam até o quarto e me troquei. Se tivesse mesmo que lutar, aproveitaria o tempo que restava para fazer o que eu sabia fazer de melhor.

Peguei o carro e segui para a cidade, parando em frente a uma casa noturna. Aquele lugar era exatamente o que eu precisava: movimentado, escuro, com bebida farta e muitas mulheres.

Não foi difícil perceber que ali seria possível encontrar várias *doadoras*, todas dispostas a saciar a fome de um vampiro em troca de algum dinheiro. Mas não era isso que eu buscava no momento.

Segui até o bar e fiz sinal para o barman, que estava do outro lado, distraído com uma ruiva sorridente. Coloquei uma nota no balcão e pedi que trouxesse uma garrafa do melhor uísque da casa.

Toda aquela história de guerra já estava me deixando irritado e nada melhor do que uma boa quantidade de bebida para animar um pouco o clima carregado dos últimos dias.

Estava admirando as dançarinas, que se espalhavam pela boate entre os clientes, até que minha atenção se deteve em uma linda morena de lábios carnudos, cabelos volumosos e um quadril de enlouquecer qualquer homem.

Na mesma hora, meus sentidos me instigaram a provar daquele pescoço delicado e, quase que imediatamente, o sabor de Carlie invadiu minha mente.

Tratei de afastar aquela sensação, antes que me dominasse e tirasse toda a graça da diversão. Estava disposto a me levantar e terminar a noite em algum lugar confortável e em boa companhia, quando um movimento desviou minha atenção.

Um humano, que parecia não fazer parte daquele ambiente, caminhava aos tropeços. O olhar congelado deixava claro que estava sob efeito de alguma hipnose; até que parou diante de uma mulher que conversava com um rapaz, próximo ao palco onde uma stripper se apresentava.

Fiquei observando a cena por um momento e vi quando inesperadamente, ele pegou uma garrafa que estava em cima da mesa, ao lado do casal e golpeou na cadeira, quebrando o gargalo. Em seguida, cravou a garrafa no pescoço do outro.

O sangue jorrou pra todo lado e uma correria generalizada se iniciou. A maioria tentava sair da boate, com medo de um novo ataque por parte do *louco*, enquanto outros tentavam socorrer o rapaz, que pela quantidade de sangue perdida já deveria estar morto.

Permaneci no meu canto, aguardando até que a situação estivesse controlada. Mas então, o homem olhou em minha direção e moveu os lábios. O nome Hunter chegou aos meus ouvidos, pronunciado em um murmúrio inaudível ao restante dos presentes. Em seguida, ele puxou uma faca que trazia oculta sobre a roupa e cravou no próprio peito.

Diante da cena, deixei o local onde estava e sai sorrateiramente, enquanto a policia chegava e começava a fazer perguntas aos frequentadores e funcionários da casa.

Definitivamente, a noite havia começando mal. O melhor a fazer era voltar para casa e encerrá-la por ali, antes que ficasse ainda pior.

O passado não reconhece seu lugar: está sempre presente.

Mario Quintana - poeta

Capítulo 17
Armadilha do passado

Na manhã seguinte...

— Até que enfim você resolveu nos agraciar com sua presença — Donovan exclamou com seu humor ácido ao me ver entrar.

— Bom dia para você também!

— Se bem me lembro, marcamos essa reunião para a primeira hora do dia, mas pelo visto, todos decidiram tirar a noite de folga e alguns dormiram mais que outros.

— O que aconteceu pra ele estar assim? — Perguntei a Noah que estava do outro lado da sala, os braços cruzados sobre o peito e uma expressão grave no rosto.

— Recebemos notícias do Brasil e não são nada boas — ele respondeu.

— Espero que seus amigos estejam prontos para lutar, Fallen. Porque, se estávamos aguardando que o inimigo fizesse o primeiro movimento, não estamos mais — Donovan completou.

— Será que alguém pode me dar os detalhes ou terei que esperar que seu humor melhore?

— Por favor, Noah, explique para ele. Não estou com muita disposição para repetir tudo pela *terceira* vez.

— Tente se controlar, Donovan. Estamos todos do mesmo lado aqui.

— Não me venha com essa agora, Yuri. Acha que quando isso acabar poderemos simplesmente retomar tudo de onde paramos?

Yuri não respondeu, limitando-se a desviar o olhar na direção de Noah.

— Soldados de Azazel atacaram as Casas Paraíso. Mataram todos que estavam trabalhando. Chegaram de surpresa e em um número muito além do que poderíamos supor — Noah fez uma pausa, me dando tempo para absorver as informações. — Tudo muito bem planejado e simultâneo; em São Paulo e várias outras cidades. Nossos homens não tiveram a menor chance. Nem as mulheres foram poupadas.

— Azazel deve ter descoberto nosso plano para atacá-lo e se antecipou.

— Isso ficou muito claro para todos — Donovan retorquiu. — Resta saber como ele conseguiu essa informação.

— Está insinuando que tive alguma coisa a ver com isso?

— Não estou insinuando nada. Quando quero dizer alguma coisa, digo diretamente. Mas é muito estranho, não concorda?

— Azazel é ardiloso — ponderei. — Usa de meios sórdidos para conseguir o que quer e, na maioria das vezes, se utiliza de armas que seu inimigo sequer desconfia.

— Não estou entendendo aonde quer chegar — Noah declarou.

— E eu muito menos. Se sabe de alguma coisa, diga de uma vez. Não temos tempo a perder.

— É só uma suposição, mas... — fiz uma pausa, escolhendo bem as palavras que usaria em seguida —, ele pode estar espionando um de nós através dos sonhos. É um truque simples, nem precisaria fazer ele mesmo. E a vítima não perceberia. No máximo, teria a impressão de estar tendo pesadelos.

— Carlie — Donovan exclamou no mesmo instante. — Ele está usando ela.

— Mas Carlie não estava na reunião — Noah questionou. — Ela não sabia sobre o plano.

— Errado. Ela não conhecia os detalhes, mas sabia que pretendíamos atacá-lo antes que conseguisse organizar seu exército. Eu mesmo contei pra ela ontem, antes de ir para a reunião. E sei que há várias noites ela vem tendo pesadelos.

— Ao menos, agora acho que ficou claro que não sou um traidor.

— Precisamos voltar para o Brasil imediatamente.

— É exatamente isso que ele quer que você faça, não percebe? Azazel já escolheu seu campo de batalha e por algum motivo que ainda não entendi, quer ter certeza de que você estará nele — tentei argumentar, mas Donovan estava irredutível.

— Não tenho escolha. Ele está dizimando meus homens e tudo que levei décadas para construir. Não posso ficar aqui parado enquanto ele ensaia o fim do mundo. E você deveria ser o primeiro a apoiar minha decisão, ou por acaso está considerando a possibilidade de se unir a ele?

— Não fale bobagem! Sabe perfeitamente que não tenho a menor intenção de ajudá-lo a cumprir a profecia.

— Ótimo! Então, está decidido. Avise a seus amigos que amanhã mesmo embarcaremos para o Brasil.

Diante daquela declaração não restava mais nada a fazer, a não ser providenciar a viagem. Deixei a casa de Donovan e voltei para o hotel à procura de Kira.

— Pela sua cara, imagino que as coisas não estão saindo conforme o planejado.

— Muito longe disso, Kira. Precisamos conversar, mas não aqui. Vamos dar uma volta. Preciso comer alguma coisa e você também, imagino.

Saímos do hotel e caminhamos até um restaurante dois quarteirões adiante. Contei a Kira tudo que havia acontecido desde a noite passada e sobre a situação no Brasil.

Combinamos que após o almoço ela solicitaria uma audiência com Rafael e sem mais nada a fazer, chamamos o garçom e escolhemos os pratos.

— Ouso dizer que *Ele* criou a felicidade pensando neles.

— Que conversa é essa agora?

— Olhe só para eles, Johnatan! São tão felizes em sua fragilidade. Tem uma existência efêmera e, apesar disso, seguem com suas vidas. Trabalham, se divertem, fazem planos, sonham e sequer imaginam o que está para acontecer. Não fazem ideia de que há uma grande possibilidade de não existir um amanhã — Kira fez uma pausa, observando os humanos que caminhavam apressados, antes de prosseguir com seu discurso. — E nós, temos que fazer todo o trabalho sujo, para garantir que exista.

Após o telefonema de Donovan, comecei a organizar a mala. Segundo ele, partiríamos na manhã seguinte. Sabia que a partir dali nosso destino estava selado, mesmo assim, esperava ter ainda algum tempo. Não sei exatamente para que, só precisava de um tempo comigo mesma. Estava assustada, mas quem não estaria.

Num impulso, desliguei o telefone e o atirei no fundo da bolsa. Voltei para o quarto, observando a mala aberta sobre a cama, tentando decidir o que levar para uma guerra. Não precisava de muita coisa e se precisasse, ainda havia algumas peças de roupa esquecidas no apartamento de São Paulo.

Pensando bem, não precisava de nada. Empurrei a mala para o chão e me deitei, afundando o rosto no travesseiro, dando-me conta de quanto tempo desperdicei com coisas que considerava essenciais e agora percebia que não tinham a menor importância. Quantos tinham morrido por causa de meus pesadelos...

Não sei por quanto tempo permaneci ali. Devo ter adormecido, porque ao abrir os olhos, o quarto estava mergulhado na escuridão e o som insistente de batidas na porta me obrigou a levantar.

— John! — Exclamei surpresa. — O que está fazendo aqui?

— Posso entrar?

— Claro entre.

— Tentei ligar, mas seu celular está mudo. Estava dormindo?

— Parece que sim — respondi meio sem jeito.

— Que bom que você consegue. Eu não sei o que é dormir a vários dias.

— Seria melhor para todos se eu também não conseguisse dormir. Donovan me contou sobre o ataque de Azazel. Tantos mortos, John...

— Não foi sua culpa. Você não poderia saber.

— Mas eu devia ter desconfiado.

— Não se culpe. Azazel faria de qualquer maneira. Se não fosse você seria outro — John declarou tentando me consolar, mas nada mudaria os fatos.

— Quer beber alguma coisa? Sempre ajuda a relaxar — ofereci, enquanto escolhia uma faixa do Lifehouse no som. Aos primeiros acordes de Everythin, Johnatan se aproximou, segurando em minha mão. Olhei para ele, sem saber se aceitava ou repelia o contato inesperado.

— Dance comigo, Carlie. Uma última vez.

Sem responder, deixei que seu corpo colasse ao meu e meus pés acompanhassem seus movimentos.

— Onde foi que nos perdemos?

— Não sei, John. Acho que não era para ser. Apenas isso.

Ele não contestou, só apertou ainda mais o abraço e continuamos dançando.

— Não — ele sussurrou em meu ouvido.

— Não, o que?

— A pergunta, na música... Se eu poderia ficar ao seu lado, sem me sentir emocionado. A resposta é não.

— John...

Pega de surpresa, não soube o que dizer. Eu mesma me sentia tão vulnerável diante de tudo que estava acontecendo...

— Preciso de você, Carlie. Sempre precisei e agora ainda mais.

— John, por favor. Não podemos... eu não posso...

— Se essa for a última noite de nossas vidas, quero passá-la com você — foi tudo que ele disse antes de me beijar.

— Não fale assim — respondi, interrompendo o beijo. — Eu não quero perder você, mas não posso... Donovan... Precisa entender...

— Não fale mais nada.

Ele me calou, voltando a colar sua boca na minha, reproduzindo através de imagens em minha mente, todos os melhores momentos que vivi a seu lado.

Não resisti quando ele me ergueu no colo e me carregou até o quarto, ainda me beijando. Nem quando me deitou na cama lentamente e foi tirando, uma a uma, as peças de roupa que eu usava, enquanto distribuía beijos por todo meu corpo.

— John...

— Quero bem mais que isso, Carlie. Preciso de você por inteiro.

E quando ele me envolveu em seus braços, levantando meu cabelo para beijar meu pescoço, eu já não podia mais controlar a vontade de reviver aquela emoção até o fim.

Então, ele soltou meu cabelo e voltou a buscar minha boca, acomodando seu corpo sobre o meu, e quando me penetrou, uma deliciosa sensação de reconhecimento percorreu cada centímetro do meu corpo, quente, avassaladora, roubando os últimos resquícios de razão, varrendo para longe todos os medos.

Conforme nossos corpos se entrelaçavam e as sensações irrompiam, ele aumentava a intensidade dos movimentos, fazendo-me desejá-lo ainda mais. Até que, inesperadamente, imensas asas negras surgiram em suas costas.

Senti que John chegava ao clímax, se derramando dentro de mim, mas a sensação veio acompanhada de uma poderosa descarga de energia e recebi em cheio a manifestação do anjo, a qual eu simplesmente não tinha capacidade para suportar.

Uma convulsão sacudiu meu corpo e tudo escureceu ao redor. E então, eu apaguei por completo.

— Carlie! — chamei seu nome desesperado, ao vê-la desfalecer sob meu corpo. — Carlie, por favor, acorde. Não faça isso comigo. — Que merda que eu fiz? — Bradei, me amaldiçoando por ter perdido o controle daquela maneira.

— Carlie! — Chamei novamente, dessa vez sacudindo-a de leve pelos ombros, mas ela não esboçava qualquer reação. Era como se estivesse morta em meus braços. Até que, após alguns minutos torturantes, deixou escapar um sussurro.

— John...

— Graças a Deus você voltou. Como está se sentindo?

— Bem, eu acho.

— Não sei o que eu faria se você tivesse morrido.

— Mas... talvez eu tenha — ela falou confusa. — Quer dizer, foi estranho... Não sei explicar. Parece que levei um choque. Ou melhor... Foi como ser recarregada... de vida.

— Acho que transferi uma parte de minha essência vital pra você, quando me manifestei. Tem certeza de que se sente bem?

— Acho que sim. Só um pouco... diferente.

— Diferente como? Desconfortável? Sente alguma dor?

— Não John, não sinto dor — ela respondeu, esboçando um sorriso. — É só uma energia diferente.

Ainda não estava convencido. Precisava ter certeza de que não havia causado nenhum dano a ela, então comecei a procurar por vestígios em seu corpo.

— O que está fazendo? — Ela perguntou rindo.

— Só me certificando de que está tudo bem com você, já que não faço ideia de como o corpo de uma vampira pode reagir nesse caso.

— John! Pare com isso — seu riso agora era mais intenso. — Já disse que estou bem.

— Mesmo assim, acho que deve descansar um pouco — argumentei, enquanto recolhia as roupas e começava a me vestir. — Prometa que não vai sair da cama por algumas horas.

— Mas... você já vai?

— Preciso organizar os detalhes para o embarque amanhã cedo e também... — ponderei sobre a melhor forma de mencionar a questão. — Acho que não seria prudente me virem saindo daqui no meio da madrugada, muito menos pela manhã.

— É, eu sei — ela respondeu resignada.

— Você vai ficar bem?

— Vou. Não se preocupe.

— Posso vir buscá-la pela manhã, se quiser.

— Não! — Ela exclamou de imediato. — Não precisa. Donovan fará isso. Sabe que ele não aceitaria que fosse de outra forma. E eu... Eu não quero contrariá-lo.

Naquele momento, entendi que, apesar de tudo, Carlie ainda amava Donovan e isso se tornava visível pela maneira que ela se referia a ele. Estava confusa, assustada e lutava contra o sentimento, mas era ao lado dele que ela queria terminar essa história.

— Tudo bem! Nos vemos pela manhã no aeroporto — declarei, dando um último beijo em seus lábios antes de partir.

A vida é a perda lenta de tudo o que amamos.

Maurice Maeterlinck - poeta

Capítulo 18

De volta ao Brasil

Assim que encontrei Carlie, na manhã seguinte, percebi que havia algo de errado. Foi apenas uma sensação, mas podia jurar que havia energia dos malditos caídos nela.

— Voltou a ter pesadelos essa noite, princesa?

Ela negou com um aceno de cabeça e achei melhor não insistir no assunto. Carlie já estava se sentindo culpada pelas mortes ocorridas no Brasil e não seria eu a piorar a situação.

— Não tem bagagem? — Perguntei, notando a ausência de malas.

— Acho que não preciso de um Dior ou um Chanel se vamos para a guerra — ela respondeu amarga.

— E quem disse que *você* vai a guerra? — Retruquei, mas o silêncio foi tudo que consegui como resposta.

Entramos no carro e ela se acomodou no banco ao meu lado, recostando a cabeça e fechando os olhos, numa clara demonstração de que não estava disposta a conversar.

Quando chegamos ao aeroporto, Noah e os outros já estavam a nossa espera, mas não havia nenhum sinal do caído.

— Johnatan não vai conosco? — Carlie perguntou.

— Ele já deveria estar aqui.

— Parece que nossos aliados acabaram de chegar.

Virei-me na direção do olhar de Yuri e avistei o pequeno grupo que se aproximava, entre eles estava Johnatan Fallen e sua companheira, uma ruiva estonteante, que agora eu sabia se chamar Kira.

— Somos apenas nós? — Ele perguntou ao nos alcançar.

— Os outros irão hoje mesmo, em voos comerciais. E alguns só partirão amanhã.

O copiloto se aproximou, interrompendo a conversa para anunciar que a tripulação estava pronta para partir.

Durante todo o voo Carlie permaneceu quieta. Havia se sentado em uma poltrona distante de nós, fingindo ler uma revista que ela mal folheava, mantendo o olhar perdido, fixo na janela.

Eu sabia que ela não estava bem, mesmo assim havia repelido cada tentativa que fiz para descobrir o que se passava e até Johnatan já demonstrava preocupação com seu inusitado estado de ânimo.

— Carlie está começando a me assustar. Ela disse por que está assim?

— Não — respondi encarando-o, aguardando por uma reação —, mas desconfio que sei o motivo.

— Detesto vê-la desse jeito e não poder fazer nada — ele me encarou de volta, sustentando com firmeza o olhar.

— Vou dar um jeito nisso — respondi, levantando da poltrona ao seu lado e indo me sentar junto dela.

— O que há com você, princesa? Está calada desde que saímos da Dinamarca. Você não é assim.

— Don, eu...

Ela interrompeu subitamente o que ia dizer e uma lágrima solitária rolou por sua face.

— Ei! — Exclamei, enxugando seu rosto e puxando-a para meu peito. — Sabe que não gosto de vê-la chorar.

Envolvi seu corpo delicado em meus braços e apoiei sua cabeça em meu ombro, acariciando seu cabelo.

— Sei que está preocupada, mas prometo que isso vai acabar logo.

— É só isso que eu quero, Don — ela respondeu, aninhando-se ainda mais em meus braços.

— Conheço uma coisa que fará você se sentir bem melhor.

Dizendo isso, ergui discretamente o punho da camisa e reclinei seu corpo, de forma que deitasse a cabeça em meu peito. Fiz um pequeno corte no braço e deixei que tomasse o quanto precisasse, desejando ardentemente que estivéssemos na privacidade de nossa casa e não em um avião repleto de olhares curiosos.

— Acorde dorminhoca! Vamos aterrissar.

Abri os olhos e encontrei os de Donovan. Estava deitada em seu colo e pelo visto, tinha passado o resto da viagem ali, mas precisava admitir que aquelas últimas horas me fizeram muito bem. Meu humor era outro. Sentia-me completamente renovada. E quando finalmente chegamos ao edifício em São Paulo, a primeira coisa que fiz foi pegar o telefone e ligar para uma antiga amiga.

Queria ter certeza de que ela estava bem, que não tinha sofrido nenhum ataque por parte dos caídos. Também precisava conversar um pouco com alguém a quem pudesse contar em detalhes os últimos acontecimentos.

Pelo jeito ela também tinha algo importante para dizer, porque assim que sugeri um encontro, ela anunciou que viria imediatamente.

Mal desliguei o telefone e Donovan entrou, avisando que ia sair para averiguar os estragos e tomar providencias quanto a nossa alimentação, assim como de todos que viviam na cidade e dependiam das Casas Paraíso para se reabastecer.

— A situação já se arrastou por tempo demais e se não tomar uma providência o mais rápido possível, a cidade pode virar um caos. A última coisa que precisamos agora é de um monte de vampiros famintos caçando os humanos pelas ruas.

— Pode ir. Eu ficarei bem. Liguei para uma amiga e ela já está a caminho, não ficarei sozinha por muito tempo.

— Cuide-se, princesa!

Ele beijou minha testa e saiu.

Menos de um quarto de hora depois, o porteiro anunciou que minha visita havia chegado. Ansiosa, me antecipei até a porta para recebê-la.

— Lívia! — Exclamei abraçando-a, sentindo-me feliz ao constatar que ela estava bem.

— Fiquei surpresa com seu telefonema. Não sabia que estava de volta a cidade.

— Foi uma surpresa para mim também, mas com tudo que aconteceu por aqui, Donovan achou que seria melhor voltarmos.

— E vocês, como estão?

— Vamos lá para o quarto. Vou te contar tudo.

Passamos às duas horas seguintes conversando. Contei, em detalhes, a descoberta que fiz sobre a morte dos meus pais e falei da visita de John ao meu apartamento, na última noite que passamos na Dinamarca. Lívia ouviu atentamente cada palavra.

— Eu não queria estar no seu lugar, Carlie. Mas acho que você não me chamou aqui pra me ouvir falar sobre os empecilhos de retomar sua relação com o anjo. Você é esposa de um Príncipe, conhece as leis melhor do que eu.

— Não pretendo levar isso adiante e não é só por causa das malditas leis. Apesar de saber a verdade, que John não me traiu, não dá para simplesmente voltar atrás e fingir que nada do que vivi com Donovan existiu.

— Mas então, não vejo onde está o problema. Tudo bem! Você teve uma recaída pelo anjo e isso não foi nada legal. Mas, também não é o fim do mundo. Você mesma disse que já não estava mais com Donovan. Ele não pode cobrá-la por isso.

— É... Eu sei.

Lívia me observou em silêncio por um tempo, antes de expor o que pensava da situação.

— Vou ser bem sincera com você. Acho que está se cobrando mais do que deveria. E o motivo é um só: você ainda ama Donovan. Só não sei o que está esperando pra se jogar de novo nos braços dele. Por Lilith, Carlie! Ele é lindo, poderoso e beija o chão que você pisa. O que mais uma garota pode querer?

— O problema é que não consigo perdoá-lo — declarei angustiada. — Não consigo esquecer o que ele fez.

— Você pode até não esquecer o que ele fez e isso eu até entendo, mas perdoá-lo? Acho que já perdoou amiga, só que está com medo de admitir isso pra você mesma — ela sentenciou.

— Pode ser... De qualquer forma, não posso fazer nada agora. Não até que toda essa loucura com os caídos acabe.

— Eles fizeram um tremendo estrago e ouvi dizer que não foi só aqui.

— Também soubemos disso na Dinamarca. Pelo que Donovan disse, atacaram várias cidades ao mesmo tempo. Por isso voltamos.

— Estão falando em extermínio e já estamos preparados para contra atacar. Não vamos facilitar as coisas pra eles. Podemos até morrer, mas vamos levar muitos deles de volta para o inferno.

O som de passos se aproximando da porta denunciou que Donovan estava de volta e não demorou muito ele apareceu.

— Vejo que tem companhia — declarou, recostando-se no batente a entrada do quarto.

E então, me peguei analisando-o.

Lívia tinha razão quando dizia que era lindo. Mesmo com toda a tensão das últimas horas, ainda assim, ele mantinha o mesmo magnetismo poderoso que me atraía feito um ímã. Era difícil desgrudar os olhos dele.

Depois das últimas notícias que recebi, ao averiguar os estragos causados pelos caídos, encontrar Carlie em segurança conversando descontraidamente com a amiga, me trouxe uma sensação de alivio difícil de mensurar.

— Don, já conhece Lívia?

Olhei para a mulher cheia de curvas, que estava sentada na beira da cama, ao lado de Carlie. Só então, me dei conta de que ela era um pedaço de mau caminho coberto de chocolate. Sua beleza não se comparava a de minha princesa, mas era uma mulher que certamente não passaria despercebido, mesmo que estivesse no meio de uma multidão.

— Creio que nunca fomos apresentados — respondi me aproximando. Ergui sua mão e levei aos lábios, beijando-a —, mas é um prazer conhecê-la.

— Lívia é geóloga e está desenvolvendo algumas pesquisas.

— Uma vampira geóloga. Isso pode ser interessante. Quem sabe, depois que resolvermos esse conflito, você não tenha interesse em se juntar ao grupo de cientistas do conselho. Seus conhecimentos podem ser de grande utilidade para nossa comunidade.

— Nossa! Isso seria uma honra — ela respondeu empolgada e eu não soube dizer se o motivo era apenas o convite, ou se minha presença tinha alguma influência em sua reação.

— Bom, só passei para avisar que já estou de volta, caso precise de alguma coisa. Agora, se me dão licença, Noah está me aguardando — deixei o quarto, seguindo de volta a meu apartamento.

— Nossa! Ele é muito mais gato do que eu imaginava. Você tirou a sorte grande, amiga.

— Lívia! — Carlie repreendeu-a. — Ele pode ouvi-la, lembra?

E as duas começaram a rir antes que eu batesse a porta do apartamento de Carlie.

— Pela sua expressão, você e Carlie voltaram a se entender — Noah declarou ao me ver entrar.

— Ainda não, mas acho que é uma questão de tempo.

— Não pude deixar de notar que você a alimentou no avião e ela aceitou de bom grado.

— Acho que temos assuntos mais urgentes para tratar do que minha vida amorosa, ou estou enganado?

— Ok! Não está mais aqui quem falou. E o que pretende fazer? Vitória é uma das únicas cidades onde as *Casas* não foram atacadas. Sobraram apenas algumas no nordeste, mas a distância dificultaria muito nosso trabalho.

— Também já pensei sobre isso. Acho que podemos usá-la como base para reorganizar a distribuição no sul e no sudeste, mas pra isso teremos que eliminar os caídos.

— Está ciente de que não será tão fácil, não está? Eles estão em maior número e a essa altura, já se prepararam para nossa chegada.

— Sei disso, mas não temos escolha. Ordenei a todos que se desloquem para lá. Faremos amanhã, ao cair da noite, assim podemos contornar melhor a situação, caso as coisas fujam do controle.

— E nosso amigo Fallen? Já foi avisado?

— Está organizando suas forças nesse exato momento.

— Sendo assim, vou ligar para Yuri e reunir a Among Us. Temos vinte e quatro horas para preparar tudo.

— Preparar o que?

Carlie havia entrado e surpreendido nossa conversa. Pela segunda vez, amaldiçoei o dia em que a ensinei a se ocultar daquela forma. Agora, nem eu conseguia captar sua presença, antes que ela já estivesse ao meu lado.

— E então, não vão me responder?

— Você não estava com sua amiga?

— Ela já foi. Recebeu um telefone urgente e teve que sair, mas não quis me dizer o motivo.

Olhei para Noah. Nós dois sabíamos perfeitamente qual era o motivo.

— Acho que você deve contar para sua esposa, já que existe uma grande possibilidade de não voltarmos.

— Não voltar de onde? Do que ele está falando, Don?

— Venha cá, princesa! — Donovan me puxou delicadamente pelos ombros, colocando-me de frente para ele. — Amanhã vamos para Vitória, tentar reestabelecer uma base de distribuição.

— Mas não é só isso. Se fosse, Noah não teria dito que existe uma chance de não voltarem.

— Não. Não é só isso. Descobrimos que Azazel e os cinco estão na cidade e vamos contra atacar seu exército, antes que tenham chance de prosseguir com seu plano.

— E quando vamos partir?

— *Você* não vai a lugar nenhum — ele respondeu categórico.

— Não acha que vou ficar aqui, enquanto vocês lutam numa batalha que pode significar o fim para todos nós?

— Carlie! — Donovan pronunciou meu nome em tom ameaçador. — Não me conteste agora. Não é um bom momento.

— Não é um bom momento? Então, devo voltar ao meu apartamento e esperar, até que você retorne e diga que eliminaram o exército de Azazel. E se isso não acontecer? O que devo fazer? Esperar até ser consumida pela fome ou até que algum caído me encontre e ponha fim a minha existência? Quem sabe, posso sair por aí e caçar alguns humanos enquanto você não volta.

— Você não faz ideia do que está sugerindo. Acha que porque enfrentou alguns vampiros em Nova Orleans está preparada para lutar? O que aconteceu no Castelo do Anjo é brincadeira de criança, perto do que vamos enfrentar amanhã.

— Não sou tão estúpida assim, Don. Sei exatamente o que vamos enfrentar e estou preparada.

— Noah, quer fazer o favor de explicar para ela?

— O que vocês pretendem? Por acaso vão me amarrar em casa enquanto saem para lutar?

— Até que não seria má ideia — Donovan respondeu.

— Ainda bem que não temos um calabouço ou você me jogaria nele, só para tentar me impedir.

— Já que mencionou princesa, na verdade temos sim. O antigo abrigo subterrâneo da Casa Paraíso continua lá e serviria bem a esse propósito.

— Você só pode estar brincando! — Exclamei furiosa.

— Quer apostar?

— Se eu fosse você não arriscava — Noah interviu, apoiando Donovan.

— Você também está do lado dele? Era só o que me faltava.

— Eu não disse isso, mas sou obrigado a concordar que dessa vez Donovan tem razão. Você não deve ir.

Nada que eu dissesse faria Donovan acreditar. Eu precisava mostrar que tenho condições de lutar, tanto quanto qualquer um deles. E foi exatamente o que fiz.

Olhei ao redor e avistei a espada de Donovan, que repousava sobre o aparador, no canto da sala.

Sem anunciar, corri até ela. Empunhei a espada e parti a toda velocidade contra ele.

Quando percebeu minha intenção, Donovan armou sua defesa, mas antes que tivesse a chance de me desarmar, saltei sobre sua cabeça e girei o corpo, caindo de pé atrás dele, a lâmina fria da espada ameaçando rasgar seu pescoço.

— Você tem que admitir: ela sabe o que está fazendo — Noah declarou surpreso.

— Onde aprendeu isso? — Donovan perguntou incrédulo com o sucesso de meu ataque inesperado.

— Johnatan me ensinou. Treinamos em segredo, porque eu sabia que se dissesse pra você tentaria me impedir.

Donovan não disse nada, mas um sorriso brotou em seus lábios quando olhou para Noah, acenando positivamente com a cabeça.

Só o inesperado é terrível. Por isso o inferno não basta para conter as almas na virtude.

Carlos Malheiro Dias - escritor

Capítulo 19

O caos se instaura

O sol se punha quando, após sete horas de estrada, finalmente chegamos a Vitória, uma cidade litorânea no Espírito Santo. O último reduto em operação, para atender a todos os vampiros que viviam nas regiões Sul, Sudeste e Centro Oeste do Brasil. Centenas, talvez milhares de criaturas, que agora dependiam de nós para garantir sua sobrevivência.

Precisávamos evitar que o caos se instalasse, levando todos de volta a idade média, quando a caça aos humanos e a matança desnecessária eram hábitos comuns em nossa raça. Com a diferença que atualmente, a grande maioria da população vampírica não fazia a menor ideia de como agir nesse tipo de situação.

Estavam acostumados a usufruir da estrutura bem elaborada que as Casas Paraíso ofereciam. Os vampiros conheciam tanto sobre caçar, quanto um humano que assiste a filmes antigos de terror. Dependiam delas, assim como os humanos dependem de supermercados e lojas de conveniência.

Muitos já estavam a mais de dois dias sem se alimentar e os que ainda tinham algum sangue estocado em casa, sabiam que não demoraria muito para ficarem na mesma situação.

Os assaltos a bancos de sangue de hospitais já haviam começado e a cada hora chegavam novos relatos de vandalismo, o que tornava nossa missão mais urgente a cada minuto.

— Carlie?

A voz de Johnatan me trouxe de volta.

— Por que não respondeu minha pergunta?

— Desculpe John, o que estava perguntando?

— Está vendo? É disso que estou falando — ele sussurrou em meu ouvido. — Desde que saímos de Copenhague que você está assim. Dormiu durante praticamente toda a viagem até o Brasil e agora de novo na estrada. Está dispersa, calada... Tem certeza de que está tudo bem?

— Você sabe que mesmo sussurrando ele pode ouvi-lo. Não sabe?

Johnatan olhou para Donovan, que estava sentado ao volante do Land Rover preto que seguia a frente do comboio. Observei, enquanto Donovan fitava o anjo pelo retrovisor, a expressão sombria não permitia dizer o que se passava em sua cabeça, mas deixava claro que tinha ouvido a conversa.

Por algum motivo incompreensível, ele não fez nenhum comentário, nem mesmo uma ironia sequer. Eu estava louca ou aquela guerra contra os caídos havia criado algum tipo de cumplicidade entre ele e John?

— Só quero ter certeza de que está tudo bem com você.

— Eu estou bem, tá legal — respondi perdendo a paciência. — E já estou farta de todo mundo me perguntar isso a todo instante. Portanto, se não quiser que eu mesma te arraste até o covil dos caídos e te entregue pessoalmente a Azazel, não me pergunte isso novamente.

Kira, a mulher de cabelos vermelhos que acompanhava Johnatan, me olhou como se eu fosse uma aberração. Já tinha percebido que ela não gostava de nós e sempre fazia questão de se manter afastada, o máximo que a situação permitia.

Johnatan, por sua vez, ficou desconcertado, enquanto Donovan soltou uma sonora gargalhada.

— Eu avisei a você para deixá-la quieta — ele falou, dirigindo-se ao anjo.

Noah, com toda sua compostura, não conseguiu conter o riso. Aquilo foi a gota d'água.

— Quer saber? Pare esse carro agora.

— O que?

— Pare o carro, Don!

Ele esbravejou, mas encostou no acostamento, obrigando todos os outros que vinham atrás a fazerem o mesmo.

— O que vai fazer?

— Cansei de vocês! Dos dois — respondi descendo e batendo a porta. — Pode ir. Eu vou com Yuri. Ou com qualquer outro que me deixe completar a viagem em paz. Até o carro dos caídos que vieram com Johnatan é preferível, a continuar confinada no mesmo espaço que vocês.

Ignorei os palavrões e a discussão que se iniciou dentro do carro e caminhei até o próximo veículo da fila. Um Yuri atônito abriu a porta quando me aproximei.

— Nem pense em soltar um de seus comentários irônicos — alertei ao entrar.

Segui calada pelo resto do percurso que nos separava da Casa Paraíso e para meu alívio, tanto Yuri quanto Dante, agiram como se eu não estivesse ali.

Quando chegamos a praia do Canto, encontramos a *Casa* as escuras. Nenhum som provinha de seu interior. Mas, fora isso, tudo parecia normal.

Era noite de domingo e vários carros transitavam pela larga avenida que margeia a orla, enquanto muitos humanos ainda desfrutavam dos parques, aproveitando as últimas horas de folga.

Voltei a observar o prédio. Não havia nenhum dano aparente na pequena construção de quatro andares, instalada entre os edifícios altos e elegantes que compunham a paisagem da avenida. Nada que denunciasse o motivo da instalação estar vazia.

— Não era para estar fechado, era? — Perguntei quebrando o silêncio.

— Claro que não! — Yuri respondeu exasperado.

— Vamos entrar — Donovan anunciou —, mas fiquem atentos.

Institivamente deslizei a mão pela mochila de couro, sacando a pequena adaga que havia ganhado de John. Era só uma precaução, mas a prendi ao cós da calça, onde poderia alcançá-la rapidamente se precisasse.

Um grupo de soldados da Among Us se adiantou dando a volta no prédio, enquanto nos aproximamos da entrada principal.

Dante forçou a porta silenciosamente.

— Está trancada — sussurrou para Donovan. — Vamos arrombar?

Donovan fez um sinal com a cabeça e no instante seguinte, Dante pôs a porta no chão com um único chute.

Entramos e vasculhamos todo o primeiro andar, mas não havia ninguém. Começamos a subir, nos dividindo em grupos, para revistar os outros andares. Tudo que encontramos foram arquivos destruídos e as geladeiras de sangue completamente vazias.

As bolsas do estoque haviam sido rasgadas e o sangue espalhado sobre o piso apresentava um aspecto rançoso, completamente inútil para o consumo.

— Isso não foi obra de vândalos. Eles não deixariam tanto sangue para trás — Noah declarou.

— Carlie — Johnatan chamou. — O que funcionava aqui?

— Uma sala de coleta — identifiquei assim que cheguei onde ele estava e observei o interior.

A sala, que servia de laboratório, estava toda revirada e os objetos utilizados na coleta dos doadores, inutilizados e espalhados pelo chão. As confortáveis poltronas reclináveis, onde os humanos se acomodavam durante a doação, estavam quebradas e com o estofamento completamente danificado. Nada poderia ser aproveitado sem que corressem risco de contaminação. Nem mesmo os suportes de metal, que deveriam sustentar as bolsas de sangue, foram poupados. Estavam retorcidos e alguns haviam sido dobrados, como se fossem feitos de plástico.

— Não podemos nem mesmo tentar refazer um estoque de emergência — declarei sentindo a frustração me dominar. — Levaremos dias para reunir o mínimo de condições necessárias para a *Casa* voltar a funcionar.

— Vamos encontrar um jeito — ele falou, tentando me consolar.

— Você não entende John. Já era praticamente impossível abastecer a todos com uma única unidade em atividade, mas agora, não temos nem isso. Não temos nada. E o pouco que trouxemos da Dinamarca estamos racionando para atender a nossos soldados.

Donovan se aproximou, colocando a mão sobre meu ombro.

— Ela tem razão. As casas que abastecem as comunidades do nordeste do país tem uma capacidade de produção infinitamente menor, suficiente apenas para suprir as necessidades da população local, que numericamente é muito inferior. Mesmo que conseguissem aumentar a produção, seria preciso uma estrutura logística para remanejar o sangue até as comunidades mais distantes e não dispomos de tanto pessoal assim, já que os funcionários que estavam treinados para lidar com nosso produto morreram nos ataques. Sequer temos como recuperar o cadastro dos doadores. Tudo foi destruído pelos malditos seguidores de Azazel.

— E agora, o que vamos fazer? — Perguntei apreensiva.

Donovan fez um sinal para Johnatan e se afastaram em direção a Yuri. Conversaram por alguns minutos e ouvi quando o anjo declarou:

— Já estão aqui, só aguardam para ver se será mesmo necessária uma intervenção.

— Ótimo, porque vamos precisar de toda ajuda que pudermos conseguir.

Mais alguns minutos de conversa, com palavras que chegavam soltas e frases incompletas, até que retornaram, acompanhados também por Noah, Bran e César.

— Dante, leve Boris e mais alguns homens até o terraço, e organize uma guarda. Coloque vigias no acesso da garagem também. Não deixe nenhuma área descoberta — Donovan ordenou. — Vamos ficar por aqui essa noite.

— Vou ver o que consigo para nos acomodar. Talvez, possa usar os estofados dos móveis e algum material do alojamento dos funcionários para improvisar umas camas.

— Faça isso, princesa. Aproveite e verifique a geladeira do alojamento. Quem sabe você não dá sorte.

— Vou com você. Pode precisar de ajuda para carregar o que encontrar — Kira se ofereceu me surpreendendo.

Desci as escadas com a ruiva atrás de mim. Não sabia exatamente onde ficava o alojamento, mas se aquela *Casa* seguisse o padrão das outras, ele deveria estar no primeiro andar, em alguma parte nos fundos do prédio.

Passamos pela recepção, seguindo por um pequeno corredor e enfim, encontramos. Para nossa surpresa, ali havia duas camas. Eram pequenas, mas estavam em perfeito estado. Quem quer que tenha atacado a *Casa*, achou que não valia a pena ir até o alojamento dos funcionários.

Eu não entendia nada de estratégias e em minha opinião, seria muito mais prático nos revezarmos para descansar ali mesmo. Mas Kira insistiu que deveríamos recolher os colchões e toda roupa de cama que encontrássemos, e levá-las para cima.

— Você tem certeza?

— Tenho — ela afirmou —, além do mais, duvido que alguém realmente durma essa noite.

— Pelo menos não teremos que passar horas sentados no chão duro — concordei e começamos a recolher tudo que podíamos carregar.

Antes de sair conferi a geladeira, que na verdade não passava de um frigobar, mas não havia nada além de água, alguns refrigerantes e uma lata de cerveja.

Meia hora depois, retornamos ao quarto andar com dois colchões, alguns lençóis e três travesseiros. Donovan estava ao telefone e, pelo que entendi, se comunicava com outro grupo que também tinha acabado de chegar a cidade. Quando desligou, avaliou o material que estava aos nossos pés.

— Isso é tudo?

— São as únicas coisas em condições de serem usadas.

— Tudo bem, princesa. Pode deixar por aqui mesmo. Agora pegue algumas dessas coisas e vá descansar. Preciso ir até o carro.

Resignada, arrastei um dos colchões até a sala de coleta, abrindo espaço entre os móveis destruídos.

— Você não vem? — Perguntei para a ruiva.

— Não. Preciso encontrar Johnatan — ela respondeu me dando as costas.

Deitei, cruzando os braços sob a cabeça e fiquei olhando o teto. Numa coisa ela tinha razão: eu não conseguiria dormir aquela noite.

Uma hora se passou até que John surgiu a minha procura.

— Será que posso falar com você?

Cheguei para o lado, dando espaço para que ele sentasse no colchão e ergui o corpo, sentando próxima a ele.

— Carlie, não temos muito tempo. Lembra tudo que treinamos nos últimos dias?

— Sim. Eu estou pronta, John. Você sabe.

— Eu sei. Só queria te dar uma última coisa.

— Mais alguma arma?

— Não é exatamente uma arma.

Então, ele tirou uma pequena esfera de dentro do bolso da jaqueta e colocou em minha mão.

— o que é isso John? — Perguntei intrigada.

— Segure-a perto do seu corpo.

Obedeci, aproximando a esfera do peito e, de repente, o estranho objeto criou vida. Como se fosse uma armadura cobriu toda a área do meu abdômen, subindo até a altura do coração, acentuando em detalhes minha silhueta.

—Uau! Mas o que foi isso? — Perguntei, pondo-me de pé com um pulo.

Mas ao invés de responder, John ficou me olhando com uma expressão indecifrável.

Observei o formato adquirido pela égide enviada por Rafael e a região que ela protegeu ao se moldar ao corpo de Carlie. No mesmo instante, lembrei-me da visão que tive quando Carlie foi atacada pelo caçador: a criança com a marca de lua.

Então, era isso e Rafael sabia o tempo todo. Por isso enviou a égide. Não era para mim, era para ela.

— John, o que houve?

Sorri, mas me contive a tempo. Era melhor que ela não soubesse de nada por enquanto.

— Essa esfera é angelical. Funciona como um escudo, se moldando ao contato de seu possessor. Ela identifica os pontos mais frágeis e os protege.

— Achei que não precisava me preocupar com nada além de meu coração.

— É... Ela tomou conta de uma boa parte do seu corpo.

— Vai ver não se adaptou bem porque não sou anjo — ela comentou, ainda sem se dar conta.

— Carlie... Não importa o que aconteça durante a batalha. Quero que saiba que eu te amo. E... me desculpe.

— John... Porque está se desculpando? Por dizer que me ama?

Sussurrei, envolvendo-a em um abraço.

— Em breve você vai entender.

É pela forma como morre que um homem mostra que era digno de viver.

Francis Ponge - poeta

Capítulo 20
O início do fim

Duas horas depois...

O som de uma freada brusca, vindo da frente do prédio, foi seguido pelo de portas sendo batidas. Passos apressados cruzaram o hall do primeiro andar e ouvi claramente quando alguém gritou.

Mais gritos, dessa vez vindos de cima. Levantei apressada, levando a mão à adaga, ouvindo o zumbido de asas em movimento do lado de fora. Pareciam estar por toda parte.

— Carlie! É você?

Lívia surgiu ofegante na porta da sala, empunhando uma espada.

— Lívia?! O que está fazendo aqui?

— Vim com o grupo de Carlos para ajudar no reabastecimento, mas esbarramos com Yekun, Kasyade e seus soldados. Tivemos que lutar para chegar até aqui e não sei por quanto tempo vamos conseguir detê-los.

Um ruído estridente e ensurdecedor nos fez levar as mãos aos ouvidos.

— O que foi isso? — Perguntei quando consegui me recuperar.

— Não sei, mas não parece nada bom.

— Acho que veio do terraço.

— Vamos! — Ela gritou, me puxando pelo braço.

— Espere! Preciso pegar uma coisa.

Abri a mochila as pressas e peguei o chicote, saindo em disparada atrás dela.

Chegamos bem a tempo de ver Azazel se materializar na frente de John, enquanto soldados da Among Us tentavam impedir o avanço de dezenas de caídos que atacavam pelo ar.

Azazel ergueu a mão e ao seu sinal os caídos se afastaram, sobrevoando ao redor do prédio.

— Azazel! Que falta de criatividade. Fazer humanos se suicidarem e eliminar as provisões dos vampiros pra chamar minha atenção. Confesso que esperava mais de você — Johnatan proferiu em tom de provocação.

— É na simplicidade que reside o segredo do sucesso. Você, melhor do que ninguém deveria saber, *General*. Ainda que minhas ações não fossem direcionadas exatamente a você.

— Se está falando de Rafael, esqueça. Ele não virá.

— Isso é que vamos ver. Mas até lá, me contentarei em aniquilar seus amigos bebedores de sangue e os humanos fétidos dessa cidade.

— Não pense que se livrará de nós tão facilmente — Donovan rebateu. — Não vamos permitir que você e seus demônios eliminem os humanos.

— Permitir? — Azazel repetiu em tom de escárnio. — Por acaso faz ideia de quantas almas já escureci? O inferno já estava lotado de almas enviadas por mim antes de você ser gerado, nefilim.

E com essas palavras, Azazel voltou a erguer a mão, convocando os caídos e bradando antes de desaparecer.

— Matem todos!

O som de espadas se chocando foi ouvido e por todos os lados, vampiros e anjos se confrontavam. Donovan lutava com alguns caídos bem atrás de mim. Olhei rapidamente ao redor, tentando encontrar Carlie, mas o combate não me deixou localizar sua posição.

Vi quando Gadrel se lançou em direção as gêmeas Alana e Alexia, que estavam bem à minha frente, aproveitando-se da vantagem de suas asas para atacar ambas ao mesmo tempo.

— É um pecado obrigar duas damas tão belas a me enfrentar, mas sou um pecador convicto.

— Que irônico ouvir isso de um caído.

— Pensando bem, acho que não vou me sentir mal em estragar esses rostinhos lindos, já que as línguas são tão afiadas.

As vozes chegavam misturadas aos sons da batalha, mas elas lutavam bem, apesar das provocações proferidas entre os golpes.

— Estou decepcionado. Já tive desafios maiores — Gadrel vociferou, quando sua espada resvalou no rosto de Alana, deixando um traço de sangue em seu lugar.

— Não cante vitória tão cedo — Alexia gritou, atingindo-o nas costas, fazendo com que um punhado de penas negras voassem ao sabor do vento.

As gêmeas avançaram em direção a Gadrel, sincronizando seus movimentos, demonstrando a experiência adquirida ao longo de séculos de batalhas. Chutes e socos se alternavam aos golpes da espada de Gadrel, deixando-o desnorteado.

— Qual o problema? Já está cansado?

— Voltem aqui, vagabundas!

— Acho que ele quer mais, irmã.

— Ótimo! Não vamos decepcionar o caído. — Alana respondeu e então, gritou para Gadrel: — Não pare, mesmo se nós implorarmos.

Alexia correu em direção a ele, mas foi repelida com um golpe certeiro que a lançou ao chão. Gadrel avançou, pronto a cravar a espada em seu coração, mas Alana surgiu por trás e o golpeou diversas vezes, o que só serviu para deixá-lo mais irritado.

— Cansei de brincar com vocês — ele bradou, erguendo repentinamente as asas e batendo-as de encontro a Alana, que voou para longe. Sem se dar por vencida, Alexia vociferou:

— Já está levando a luta a sério, cachorrinho?

Em resposta, Gadrel avançou contra ela e com uma sequência de golpes, deixou-a sangrando no chão.

— Alexia! — Alana gritou alarmada, ao ver a situação da irmã.

Gadrel virou-se no mesmo instante e repetindo o movimento, atacou Alana, antes que ela pudesse interferir.

— Gêmeas idiotas! Matarei você e pouparei sua irmã para fazê-la de escrava, no novo mundo que vamos criar ao lado de Azazel. Quero ver a expressão de horror no rosto dos seus amigos, quando jogar a cabeça da destemida Alana em seus pés.

Um sorriso sinistro surgiu no canto da boca de Alexia e seus olhos mudaram de cor.

— Do que está rindo, vadia?

— Você cometeu um grave erro — Alana respondeu atrás dele. — O nome dela é Alexia.

As gêmeas esbravejaram e juntas, atacaram ferozmente, golpeando Gadrel até conseguirem levá-lo ao chão.

Gadrel reagia, tentando se erguer, mas era impedido pelas irmãs, que agora estavam ensandecidas. Foi então que ele cometeu um erro. Desvencilhando-se delas, levantou rapidamente e tentou mais uma vez usar o truque de mover as asas, mas as irmãs foram mais rápidas e agarraram cada uma de um lado. Com uma força bruta inimaginável, arrancaram as duas asas, fazendo-o cair de joelhos gemendo de dor.

Alana o segurou e o arrastou pelos cabelos até os pés de Alexia, que olhou fundo em seus olhos no momento em que ele clamou por piedade.

— Nunca mais vai trocar nossos nomes, nem nos chamar de vadia, cachorrinho.

E com um golpe final, cravou uma adaga no peito de Gadrel, que no mesmo instante se desintegrou em chamas.

A morte de Gadrel abriu uma vantagem a nosso favor, mas estava longe de poder ser comemorada, pois alguns caídos voaram para longe do prédio, atacando os humanos que estavam mais próximos.

Os gritos de desespero e de incredulidade podiam ser ouvidos a distância. Veículos, que transitavam pela avenida da orla, eram virados e as pessoas arrancadas de seu interior para serem degoladas por espadas ou terem os corações retirados de seus peitos por mãos que mais pareciam garras afiadas.

Vampiros corriam pelas ruas, tentando impedir os caídos e saltavam de prédios, agarrando-os pelas asas em pleno voo. A situação havia saído de controle e agora a batalha havia se espalhado por toda parte.

Sirenes foram ouvidas, mas a polícia sequer conseguiu se aproximar do local, sendo repelida por postes inteiros arrancados do chão e outros objetos, que eram arremessados contra os carros, matando instantaneamente seus ocupantes.

Uma bola de fogo foi arremessada e se chocou contra as casas de luxo da pequena Ilha do frade, que ficava bem a nossa frente, destruindo praticamente todo o lugar.

Avistei Kira no meio do parque em ruínas, lutando bravamente contra três caídos e sem hesitar, me lancei do alto do prédio para ajudá-la. Foi nesse momento que o som familiar de uma legião de anjos em voo surgiu sobre nossas cabeças.

Rafael finalmente resolveu interceder, enviando reforços para equilibrar nossa desvantagem numérica na batalha.

Esperançoso, combati ao lado de Kira, mas novos caídos chegavam a todo instante, transformando aquela em uma luta covarde, impossível de ser vencida. Até que Boris, um vampiro carrancudo e de poucas palavras, que Donovan me apresentou como sendo irmão de Vladimir, se uniu a nós.

Usando apenas a força bruta, ele saltava e agarrava os caídos no ar como se fossem pássaros, arrancava suas asas e os esmagava no solo. Alguns tiveram as asas partidas ao meio, com a ajuda de um machado. Boris, apesar de franzino, havia se revelado um verdadeiro sanguinário e matava sem dó, aniquilando vários soldados da tropa de Azazel.

Quando parecia que ninguém seria capaz de pará-lo, Penemue apareceu. A luta que se seguiu foi sangrenta. Os dois se enfrentaram como selvagens, arrancando sangue e até pequenos pedaços de carne um do outro.

Aproveitando um momento de descuido, Boris conseguiu enfim arrancar uma das asas de Penemue, mas menosprezou a capacidade de reação de seu inimigo e esse grave erro custou seu braço esquerdo.

O Vampiro ainda tentou reagir, agarrando Penemue pela cabeça, com o braço direito que lhe restou, mas o caído foi mais rápido e apunhalou seu coração, pondo fim a luta.

Fachos de luz podiam ser vistos, de tempos em tempos, cruzando o céu em direção ao infinito. E Kira contava em silêncio, quantos irmãos já haviam morrido no combate. Mesmo com a ajuda dos anjos de Rafael, nossa inferioridade numérica ainda prevalecia e a desvantagem crescia a cada aliado que perdíamos.

Vasculhei o campo de batalha, avistando Donovan e Carlie. Estavam se reunindo a um pequeno grupo perto da ponte que ligava o continente a Ilha do Frade — agora completamente destruída — numa tentativa de organizar um contra ataque.

Agarrei Kira pela mão e corremos para junto deles.

— O mundo ainda não estava preparado para nos conhecer, mas Azazel parece determinado a nos expor, devastando a ilha e toda a orla da praia — falei, passando o braço ao redor dos ombros de Carlie.

Tínhamos que encontrar um meio de tirar seu exército de lá, antes que a destruição se espalhasse por outros pontos da cidade. Foi então, que Lívia apresentou uma ideia.

A princípio me pareceu absurda, mas diante daquele cenário, qualquer coisa era melhor que nada.

— Donovan, eu conheço um arquipélago chamado Trindade, fica a mais ou menos 1200 quilômetros da costa. A ilha maior tem umas montanhas vulcânicas em volta que podem servir de barreira natural, mantendo a batalha lá dentro e quase não tem movimento de barcos naquela região.

— É longe demais. Precisamos de um lugar mais acessível.

— Espera! Tem outro detalhe que ainda não mencionei.

— Então, diga de uma vez. Não podemos perder mais tempo.

— Lá o sol nasce primeiro, antes que em qualquer outro ponto do país — ela explicou.

Fiz menção de repudiar a ideia novamente, mas fui interrompido por Johnatan que acabara de se juntar a nós, trazendo Kira com ele.

— Ela pode ter razão, Donovan. Se a luta se estender até o nascer do sol, isso enfraqueceria o exército de Azazel. Seria um grande ponto a nosso favor.

— Foi nisso que pensei — ela voltou a expor sua ideia, agora mais confiante. — Além disso, se conseguirmos atraí-los para lá, podemos minimizar as baixas. A presença de humanos na ilha é mínima e está concentrada em uma base militar. Deve haver uns duzentos homens apenas, talvez até menos.

— Escute-a Don — Carlie intercedeu. — Não temos escolha. Se continuarmos aqui seremos massacrados e os humanos também. Azazel vai destruir toda a cidade. Precisamos pôr algum plano em ação para impedir que ele consiga.

Ponderei os argumentos e a viabilidade daquela sugestão, que talvez não fosse tão absurda assim.

— Vocês só estão esquecendo um detalhe: podemos ser muito velozes, mas até onde sei, ainda não somos capazes de caminhar sobre as águas. Então... — virei-me para Johnatan —, se não quiser enfrentar Azazel apenas com a ajuda de seus amigos alados, terá que providenciar uma carona para nós.

— Isso pode ser feito, mas estamos em menor número e só podemos carregar um por vez.

Direcionei o olhar para Dante antes de perguntar:

— E então, parceiro? Acha que consegue?

— Posso criar um portal grande o suficiente para atravessar vários de nós, mas não sei por quanto tempo conseguirei mantê-lo aberto. Por isso, sugiro que escolha muito bem aqueles que passarão por ele. Até porque, se eu não estiver enganado, provavelmente chegarão à ilha antes dos anjos.

— Seu raciocínio está certo — Johnatan afirmou convicto. — Ficaremos mais pesados carregando os vampiros e por isso, mais lentos.

— Tudo bem! Então, vamos agir.

Quando Dante abriu o portal, um grupo formado apenas por Bran, Noah, Yuri, Donovan, Carlie, César, Alana, Alexia, e alguns membros da Among Us, já estava a postos e logo iniciaram a travessia.

Os outros vampiros partiram pelo ar, carregados pelos anjos aliados enviados por Rafael e também alguns caídos que não acreditavam no sucesso da insurgência.

Esses eram poucos e vieram conosco da Europa. Queriam garantir sua permanência na terra, pois sabiam que se Azazel perdesse a batalha, todos que o acompanharam seriam banidos para o inferno.

Como imaginamos, bastou que os primeiros anjos se afastassem do litoral, para que os caídos comandados por Azazel iniciassem a perseguição, indo exatamente para onde queríamos.

Se você conhece o inimigo e conhece a si mesmo, não precisa temer o resultado de cem batalhas.

Sun Tzu - estrategista

Capítulo 21

A batalha final

Havíamos chegado a um ponto crítico. Anjos e vampiros caíam, um a um, exaustos pela batalha que já durava horas. Os soldados humanos da base militar sequer tiveram tempo de entender o que acontecia, sendo dizimados de uma única vez, enquanto se preparavam para dormir nos alojamentos.

Os poucos que estavam de guarda foram os primeiros a morrer, pois suas armas eram ineficientes contra os caídos.

— Donovan, precisamos de Dante agora ou seremos dizimados nessa ilha.

Olhei ao redor e fui obrigado a concordar com Johnatan. A situação não era nada favorável para nosso lado e se continuasse assim, no fim daquela noite estaríamos todos mortos.

— Ele ainda está sustentando o portal do outro lado. Precisamos aguentar o máximo que pudermos até que todos atravessem.

Antes que tivesse chance de concluir a lista de impropérios que passava pela minha cabeça, Dante surgiu, fechando o portal atrás de si e não demorou muito para entrar na luta, usando sua maldição como arma para destruir os inimigos.

Tirou as luvas e começou a correr a uma velocidade incrível, atravessando toda extensão da praia. Por onde passava ia tocando em vários caídos, que simplesmente explodiam em sequência ou se degeneravam alguns segundos depois.

Azazel se manifestou, escoltado por Kasyade e Kesabel, e um sorriso irônico brincou em seu rosto ao admirar a cena. Como se o fato de ver seus soldados sendo tão facilmente exterminados, não o preocupasse.

Começávamos a ganhar alguma vantagem e estávamos prontos para tirar proveito dela, quando algo inesperado aconteceu.

Dante tocou o braço de um jovem sem asas, que lutava ao lado dos caídos. O rapaz era uma presa fácil e estava bem a sua frente. Mas surpreendentemente, nada aconteceu.

Sem compreender, Dante retrocedeu.

— Quem é você? Por que não foi afetado?

E em estado de fúria, partiu mais uma vez em direção ao jovem, que o encarou com firmeza, agarrando-o pelas duas mãos.

— Seu estúpido! — Dante bradou. —Ninguém jamais me tocou e sobreviveu!

— Tudo tem uma primeira vez, não é mesmo, papai.

A sonora gargalhada que Dante soltou foi ouvida por todos que lutavam na praia.

— Meu filho morreu há séculos. Achou mesmo que um truque tão baixo me deteria?

— Errado! — O jovem retrucou. — Seu filho sumiu há séculos e você sequer tentou encontrá-lo.

— Não pode ser. Você está mentindo.

— Minha mãe... — o rapaz continuou revidando. — Você agiu como um fraco, não conseguiu defendê-la.

— Isso não é verdade.

— Você permitiu que aquela bruxa me levasse. Mas ela cuidou de mim durante anos e me preparou para esse momento. Depois, quando desapareceu, vaguei pelo mundo até encontrar abrigo entre os caídos, que me contaram que você a havia matado assim como matou minha mãe.

— Pare! — Dante gritou aturdido.

— Você é um fraco, Dante.

— Eu disse para parar! — Dante esbravejou e com fúria, partiu uma vez mais pra cima do rapaz, atacando-o com golpes que deixavam apenas pequenas marcas em seu corpo.

— Maldição! Porque não explode logo como os outros? — Dante vociferou, arremessando-o para longe.

— Achou mesmo que seu dom era perfeito? Que não existia um ponto fraco? Depois de tanto tempo ainda não entendeu que não existe magia perfeita? Sempre existe uma lacuna. E a sua sou eu.

Incrédulo, Dante começava a se render.

— Isso mesmo, papai. A magia que lhe amaldiçoou foi feita com meu sangue. A bruxa coletou antes de ir ao seu encontro e é exatamente por isso que ela não afeta seu corpo, como a tudo que toca. Ela foi feita para não afetar seu sangue ou aqueles que o possuem.

Dante considerou seriamente a possibilidade de que aquilo fosse verdade e que o jovem, parado a sua frente, fosse realmente o filho que ele considerava morto.

— Agora, terei o prazer de matá-lo — o rapaz declarou. — Você vai sofrer pelas minhas mãos. Vingarei a morte de minha mãe acabando com sua vida.

E sem esperar resposta atacou Dante, fazendo-o sangrar, mas ele apenas se defendia dos golpes e ganhava distancia.

— Você não entende? A bruxa mentiu pra você. Todos mentiram.

— Quem está mentindo é você. Sei exatamente o que aconteceu naquele dia.

— Moleque, você está brincando com fogo — Dante ameaçou.

— Venha! Mostre-me do que é capaz, *papai*.

Enfatizou a última palavra, provocando-o ainda mais.

Enfurecido, Dante começou a lutar contra seu suposto filho e revidava o ataque, conseguindo finalmente feri-lo, deixando seu corpo estirado ao chão.

— Chega moleque! Seu pai ou não, você nunca será páreo para mim.

— Acha que vou desistir facilmente? Sou filho de Dante, o amaldiçoado — o jovem contestou erguendo-se. E então, traçou um círculo na areia, usando o sangue de seu próprio ferimento para demarcar o espaço.

— O que pensa que está fazendo?

— Espere e verá — ele revidou bradando: — Eu te conjuro, Ana Belle. Retorne dos mortos, agora!

Para espanto de Dante, Ana, sua falecida esposa, surgiu no meio do círculo. Lágrimas rolaram de seus olhos e ele caiu ajoelhado, em meio ao campo de batalha.

Ana caminhou em sua direção e ao se aproximar, o encarou por alguns segundos.

— Ana... — Dante ensaiou uma frase, mas inesperadamente, ela usou uma magia, fazendo-o agonizar de dor até que seu corpo se contorcesse no chão.

— Ana pare, por favor... Sou eu.

Dante nem mesmo tentava reagir, não poderia erguer a mão contra sua falecida esposa e estava resignado, entregando-se a morte, até que alguém a atingiu, perfurando seu corpo com uma adaga e arremessando o espéctro para fora do círculo.

Imediamente a imagem fantasmagórica se desfez, deixando apenas um rastro de fumaça em seu lugar.

Com a visão turva, Dante ergueu o rosto para ver quem havia eliminado o fantasma e para sua surpresa, deparou-se com Carlie.

Com o fim do fantasma de Ana, Dante se ergueu e partiu atrás do filho. Tentei ajudá-lo, mas minha atenção foi desviada por Claire.

— Quem diria que até a princesinha dos vampiros iria entrar na luta.

— Olha quem apareceu, a cadela dos caídos.

— Você tem uma língua muito afiada para quem está prestes a morrer.

— Deixe-a em paz! — Johnatan gritou, surgindo de repente entre nós. — Seu problema é comigo, Claire e há muito espero para acertar nossas contas.

Ah, mas não mesmo — pensei. — *Ele não ia me tirar esse gostinho.*

Vasculhei ao redor tentando localizar Dante, que lutava sozinho contra alguns caídos, já que o filho havia fugido após o fracasso de seu plano para matá-lo.

— Dante! — Gritei o mais alto que pude, torcendo para que minha voz suplantasse os sons da batalha. E ele me ouviu, porque no momento seguinte se desvencilhou dos caídos e veio em minha direção.

— Precisa de ajuda por aqui?

— Preciso de uma barreira de energia. Só eu e ela — falei, olhando para a loura, que já empunhava sua espada contra John.

— Tem certeza? — Dante perguntou rindo.

— Desculpe John, mas essa luta é minha. Agora Dante!

— Tem alguns minutos, Carlie. Não vou conseguir segurá-lo por muito tempo.

— Alguns minutos são tudo que preciso.

Johnatan esbravejava, tentando obrigar Dante a suspender a barreira para que pudesse me apartar de Claire, mas ignorei seus protestos e foquei minha atenção na loura.

— Hora de dar adeus ao John, cadela. E seguir para o inferno, onde é o seu lugar.

— Vai sonhando, bebedora de sangue.

Claire partiu com tudo, empunhando sua espada em minha direção, mas antes que pudesse entender o que acontecia, saltei sobre ela, distribuindo chutes com toda força em seu peito.

A vontade que eu tinha de pôr as mãos naquela mulher foi maior do que qualquer reação que ela pudesse esboçar para me ferir. E ela bem que tentou. Mas ao tentar me atacar, desferi um soco potente em sua boca e na mesma hora o sangue escorreu.

— Sua vadia! Como tem coragem de tirar sangue de mim?

— Estou só começando.

Claire revidou, me acertando com a espada e me deixando desnorteada por um momento.

— Ela vai matá-la e a culpa será sua, seu vampiro idiota — ouvi John voltar a gritar com Dante.

— Eu não apostaria nisso — ele respondeu e parecia se divertir assistindo, enquanto eu pensava na melhor maneira de acabar com aquela piranha loura.

Foi então que tive uma ideia, mas meu próximo movimento tinha que ser preciso, porque eu só teria uma chance.

Aproveitando um deslize de Claire, dei um sonoro tapa em seu rosto, para provocar sua ira ainda mais. A loura perdeu o controle, berrando:

— Um tapa! Você ousou me dar um tapa. Eu vou matar você.

Furiosa e totalmente desconcentrada, ela se atirou ao ataque, deixando várias brechas em sua defesa. Ao se aproximar, me desviei de seu golpe e lancei o chicote, enlaçando seu pescoço e puxando com força. Ela caiu na areia e não esperei que tivesse chance de se recompor. Segurei-a firme pelos cabelos e peguei a adaga angelical que John havia me dado.

— Você não ousaria — ela argumentou. — Não teria coragem.

— Não vou te dar o prazer de morrer com um único golpe.

Apertei ainda mais o chicote em seu pescoço e cravei a adaga no alto de seu peito, usando toda minha força para deslizá-la até seu coração. A loura começou a queimar, pouco a pouco, até virar cinzas na minha frente.

Com uma deliciosa sensação de dever cumprindo, vi Dante desfazer a barreira e voltei para junto dos outros.

A batalha já se estendia por várias horas e apesar de nossas pequenas vitórias, não conseguíamos suplantar as forças do inimigo.

— Noah, precisamos eliminar Azazel, só assim teremos alguma chance — Yuri sentenciou.

— O problema é se aproximar dele. Kasyade e Kesabel não nos darão essa oportunidade. Não se afastarão até sermos completamente eliminados ou estarmos tão cansados que não teremos mais condições de lutar.

— Donovan, acha que consegue distraí-los e ganhar algum tempo pra nós?

— Se eu reunir os Among Us posso atraí-los para uma luta e criar uma brecha para vocês tentarem um ataque.

E foi exatamente o que fiz. Reuni um grupo de dez soldados e guiei-os no ataque contra os mais poderosos de nossos inimigos.

Yekun e Penemue se uniram aos outros, dificultando ainda mais para nós, que apesar de estarmos em maior número sofríamos desvantagem, diante dos grandes poderes daqueles quatro seres demoníacos.

Enquanto isso, Yuri e Noah confrontavam Azazel, que pela primeira vez ficou isolado no campo de batalha. Os caídos que tentavam se aproximar eram impedidos pelos anjos e perdiam muito tempo travando suas próprias batalhas.

— Vocês acham mesmo que podem me derrotar?

— Vamos acabar com essa guerra hoje, Azazel. Você não vai sair daqui vitorioso.

— Fico feliz que pense assim. Facilita muito meu trabalho, mas porque o nefilim também não luta? — Azazel provocou, se referindo a Donovan.

— Veja como fala do meu filho, seu desgraçado — Yuri bradou e Noah partiu contra Azazel, mas seu ataque não surtiu efeito. E com um único golpe, Azazel o arremessou para longe.

— Noah! — Yuri berrou tentando ajudá-lo, mas baixou a guarda e foi surpreendido por Azazel, que o segurou pelo braço, erguendo-o do chão como se fosse um boneco de pano.

De longe assisti aquela cena, tentando me desvencilhar dos caídos, mas os Among Us começavam a demonstrar cansaço e eu não conseguia uma brecha para escapar.

— Eu avisei que nessa guerra só haverá um vencedor e serei eu.

Dizendo isso, Azazel suspendeu ainda mais Yuri, segurando-o dessa vez pelo pescoço e olhando direto para mim por sobre os ombros de Yuri. E antes que eu pudesse fazer alguma coisa para tentar impedi-lo, arrancou sua cabeça com as próprias mãos, atirando o corpo em minha direção.

— Pai!

Meu grito reverberou por toda a extensão da praia chamando a atenção de Johnatan, que imediatamente veio se juntar a mim.

Olhares incrédulos se revezavam entre o corpo de Yuri, que se desfazia em cinzas se mesclando a areia da praia e de volta a mim, como se pela primeira vez notassem minha presença naquela maldita guerra.

Provavelmente eu estava muito mais ferido do que o calor do momento me permitia sentir, mas não importava, eu precisava vingar Yuri e acabar com a raça de Azazel.

— Noah, leve Carlie daqui. E os outros também — ordenei enquanto Johnatan se aproximava.

Noah não hesitou em obedecer, puxando-a pelo braço e arrastando-a para longe. Johnatan se posicionou a meu lado exibindo suas imensas asas negras, pronto para alçar voo.

— Está pronto para morrer também, nefilim? — Azazel perguntou, fazendo sua voz reverberar como um trovão.

— Pare de me chamar de nefilim! Não sou um dos seus.

— Ainda acha que não? — Ele riu. — Sua mãe era e, gostando ou não, é exatamente isso que você é. Misturado ao maldito sangue dos vampiros, mas ainda assim, um nefilim.

Do outro lado da praia, sendo contida a força por Noah, minha mente se recusava a acreditar no que meus olhos viam. Um par de asas negras tinha surgido como em um passe de mágica nas costas de Donovan, enquanto seus olhos perdiam o característico brilho azulado, rendendo-se a um vermelho flamejante. E ele parecia não se dar conta da transformação.

Por um segundo pensei se tratar de mais um truque baixo de Azazel, mas então, tudo fez sentido.

Donovan era filho de Yuri, mas sua mãe não era humana, muito menos vampira. Por isso seus poderes eram tão fortes, muito mais desenvolvidos que na maioria de nós. Assistir a morte de Yuri pelas mãos de Azazel, de forma tão cruel, despertou a essência materna que Yuri havia abafado com séculos de treinamento.

De repente, ele se voltou e olhou direto para mim, e o que vi em seus olhos fez um arrepio gélido percorrer minha espinha. Então, se virou bruscamente, me dando as costas.

— Acha que vou deixar ele tirá-la daqui? — Azazel ameaçou, acompanhando a direção do olhar de Donovan — Quero que ela veja a profecia se cumprir.

E com um gesto, ordenou aos caídos que ainda se mantinham de pé, para tomarem nossa frente e fecharem o caminho.

— Mande seus brinquedinhos se afastarem deles agora mesmo ou vou matar um a um enquanto você assiste — Donovan bradou, mas foi contido por John.

— Controle-se Donovan. Isso seria apenas um desgaste de energia. Carlie e Noah não estão em condições de lutar, e os poucos soldados que nos restaram estão exaustos. Nosso foco aqui é Azazel. Matamos ele e a guerra acaba.

— Sábias palavras, Fallen. Porém, o que de fato vai acontecer é que você vai cumprir o que a profecia determina.

— Isso nunca acontecerá. Desista!

— Deixarei claro pela última vez, Fallen. Ou você se submete, ou ordeno que a matem agora mesmo. É sua última chance. Mate Donovan, venha para meu lado e eu deixo sua amiguinha a salvo, como um presente de boas vindas.

Se a situação já não era favorável para nós, agora tinha acabado de ficar ainda pior. Azazel tentando jogar Johnatan contra Donovan, enquanto os caídos, liderados por Kasyade, mantinham uma barreira a nossa frente, impedindo qualquer interferência.

Olhei para cima e observei a lua sangrenta que reinava no céu, me sentindo perdida e desesperada. E então, notei que o céu começou a se encher de nuvens. Pareciam redemoinhos e o vento começava a tomar força, se espalhando por todos os lados.

O movimento chamou a atenção de Azazel, que ergueu a cabeça no exato momento em que dez anjos surgiram acompanhados de Rafael. Desceram bem na nossa direção, tomando a frente. Pelo tempo que me restasse de vida eu nunca esqueceria aquela cena.

— Ora! Se não é meu irmão.

Rafael olhou com desprezo para Azazel e se recusou a responder sua ironia.

— Veio interceder pelos seus?

Ele permaneceu calado e ignorando os comentários de Azazel, se dirigiu a Johnatan.

— Estou aqui, porém não lutarei. Vim apenas para cumprir com o que já foi determinado.

John não questionou, apenas consentiu com a cabeça, como se já soubesse do que se tratava.

— Do que ele está falando?

— Esqueça Rafael, Donovan. Precisamos lutar. Carlie será protegida.

— Mas ele acaba de dizer que não vai ajudar.

— Ele disse que não vai lutar, não disse que não ajudaria. Apenas, concentre-se na luta, porque quando chegar a hora vou precisar de você.

O céu, que antes estava apenas com nuvens, de repente escureceu ainda mais, como se as estrelas tivessem sido apagadas. Uma chuva repentina começou a cair e os soldados de Azazel a se transmutar, passando a exibir uma cor vermelha na pele, se transfigurando em verdadeiros monstros.

Uma forte energia negra tomou conta do corpo de Azazel e suas asas dobraram de tamanho, ficando ainda mais escuras. E quando elas pararam de crescer, ultrapassando em muito seu tamanho original, ele se lançou ao voo, subindo cada vez mais alto.

— Vocês vão se arrepender de tentar interferir nos meus planos — bradou num tom assustador.

Os anjos de Rafael tomaram a frente de Kasyade e os outros caídos, no exato momento em que John se aproximou de Donovan e por alguns segundos murmurou algo em seu ouvido. Não pude me concentrar no que ele dizia, porque no instante seguinte, Azazel desceu furioso em direção a Donovan. Ao se aproximar, usou as garras para prendê-lo pela cabeça.

— Matarei você, assim como matei seu pai.

Azazel falava enquanto erguia Donovan do chão e socava seu estômago com a outra mão. Johnatan intercedeu, golpeando-o com um chute potente, que acertou em cheio o rosto de Azazel.

— Dessa vez não, Fallen — ele replicou, segurando o chute de Johnatan e lançando-o para longe.

Fiquei assistindo, enquanto o corpo de John rolava pela areia, indo se chocar contra Donovan.

— Acham mesmo que tem alguma chance contra mim, seus vermes? Aceitem a derrota.

Enquanto Azazel esbravejava, John se ergueu e se lançou ferozmente contra Azazel, golpeando-o e sendo repelido. Ele voava para longe, para ganhar tempo, esperando que Donovan se recuperasse. E então, voltava a atacar Azazel com todas as suas forças.

De onde eu estava a cena era devastadora, mas Donovan estava ferido e não conseguia mais voar. John lutava sozinho contra Azazel e não demorou muito para tombar novamente, sendo arrastado por vários metros na areia, dessa vez gravemente ferido.

Vi quando Donovan correu até ele e me desvencilhei de Noah, seguindo atrás.

— Carlie, não! — A voz de Noah soou em minhas costas, mas eu estava determinada a não parar de correr até alcançá-los.

Epílogo

— Precisa fazer, Donovan. É o único jeito de parar essa guerra.

— Não! — Ouvi Carlie gritar desesperada, correndo em nossa direção. — Tem que haver outra maneira.

Johnatan me encarou seriamente e um pacto silencioso foi selado.

— Noah! — Bradei e em resposta ele se aproximou, voltando a segurar Carlie.

— Venha, Carlie! Vamos sair daqui.

— Não! Solte-me. Não posso permitir que ele faça isso, Noah. Você não entende? Ele não pode. Não pode.

Debatendo-se, ela escapou das mãos de Noah e se atirou sobre o corpo do anjo.

— John, por favor! Tem que reconsiderar. Nós podemos encontrar outra maneira, sei que podemos. Você não precisa fazer isso.

— Minha pequena! Nunca vou esquecê-la — foi a resposta do anjo, enquanto tocava seu rosto, as lágrimas de Carlie molhando seus dedos. — Por favor, meu amor! Aceite minha decisão. Não torne as coisas mais difíceis pra mim. Estou fazendo isso por você. Então, vá com Noah e não olhe para trás. Apenas, siga com sua vida e me prometa que vai ser muito feliz.

— Não serei feliz se você morrer aqui — ela se virou para mim. — Donovan diga para ele que isso é loucura.

— Shi! — Johnatan tentava acalmá-la. — Vai sim. Você vai ser feliz por mim, porque sabe que é isso que eu gostaria. Agora vá, por favor!

Olhei para Noah fazendo um sinal. Ele ergueu Carlie, colocando-a sobre o ombro e levando-a para longe, enquanto ela se debatia tentando se desvencilhar.

— E então? Como vai ser?

Johnatan pegou sua adaga e colocou em minha mão.

— Um golpe único. Rápido e certeiro no coração. Mas antes, tenho uma condição — disse, interrompendo o gesto e olhando Carlie se afastar levada por Noah. — Ela é incrível! O que eu não faria para ter mais tempo ao seu lado?

Não respondi, limitando-me a balançar a cabeça em concordância. Então, ele prosseguiu:

— Ela está grávida.

— Já está delirando, parceiro. Melhor acabarmos logo com isso antes que fique pior.

— Estou falando sério. Ela ainda não sabe, mas não vai demorar muito para descobrir.

— Estou começando a desconfiar que os ferimentos fizeram você pirar de vez. Carlie é uma vampira, não pode gerar um bebê.

— Preste atenção, Hunter. Não temos muito tempo e isso é importante.

— Está falando sério mesmo, não está? Mas como é possível?

— Sou só um anjo idiota, lembra?

— Acho que lembro bem da parte do idiota, mas o resto ainda não entendi.

— Na última vez que estivemos juntos manifestei minha forma original. Não devia, mas aconteceu. Parte de minha essência circula em seu corpo e vai permanecer por um bom tempo. É uma energia muito forte. O suficiente para sustentar a vida do bebê e dar a ela uma chance. Se alguém pode entender isso esse alguém é você, Donovan.

— Esse não é o momento mais adequado para falar de minha linhagem, não acha?

— Tem que me prometer que, quando tudo isso acabar, vai conseguir o perdão dela e não vai deixá-la sozinha. Essa é minha condição. Ela vai precisar de você. Faça o que for preciso, mas garanta que ela esteja ao seu lado antes que descubra sobre a gravidez.

— Pode ficar tranquilo. Ela nunca ficará sozinha.

— No final, você acabou ficando com a garota, seu vampiro pedante.

— É. Parece que levei a melhor sobre você, caído.

— Tem mais uma coisa. Rafael me ofereceu um acordo. Garantiu minha redenção, se eu desse a vida em sacrifício pela causa, mas ela não deve saber disso. Será um segredo entre nós. Ela não pode ter nenhuma expectativa de me ver novamente, entende?

— Não serei tolo de deixá-la saber e assim, estragar minha chance de tê-la de volta.

— Tinha certeza que podia contar com sua discrição. Agora, vamos acabar logo com isso, antes que você resolva me dar um abraço.

Johnatan colocou novamente a empunhadura da sua adaga em minhas mãos e pressionei a lâmina contra seu peito. No instante seguinte, seu corpo começou a desintegrar, se transformando em milhares de minúsculos pontos de luz, que começaram a subir, desaparecendo na noite escura.

Amparada pelos braços de Noah, Carlie observou o facho de luz que, à distância, lembrava pequenas estrelas se erguendo no céu, para sumirem alguns segundos depois, e soube que aquele era o fim do anjo.

Caminhei lentamente pela areia, para me juntar a ela, enquanto ouvia Rafael falar com Azazel.

— Acabou Azazel! Johnatan Fallen, o caído, já não existe mais. A profecia não será cumprida, não insista nesse erro.

— Matarei a todos aqui, com ou sem profecia, e nem mesmo Miguel vai me deter.

— Se fosse você não faria isso. Estou autorizado a convocar Metatron, caso você persista — Rafael anunciou.

Azazel mudou sua expressão, que passou a refletir medo.

— Lord Azazel, ainda pretende lutar? — Perguntou um dos caídos sob seu comando.

— Não posso levar essa guerra adiante se Metatron está disposto a interferir. Além do mais, a informação deixada por Fallen antes de morrer é bem interessante.

— Mas mestre, teremos que fazer novos planos.

— Não, Penemue. Vamos cumprir com a profecia.

— Como, se o caído morreu?

— Existe um detalhe na profecia para o qual poucos atentaram. Não preciso do caído para cumprir com o que foi determinado, preciso apenas de alguém que carregue seu sangue. — E exibindo um sorriso de vitória, ele anunciou: — É hora de nos retirarmos, soldados.

Fim!

Metatron – Príncipe dos Serafins, Metatron é o Porta-voz Divino, o mediador entre Deus e a humanidade. Conhecido como *O Anjo Supremo*, é o governante global das forças da criação em benefício dos habitantes da terra. Também é associado a Enoque, que coincidentemente, seria o pai e criador da raça vampírica.

Olá, leitores e fãs da saga Mais Além da Escuridão!

A partir de agora, vamos dar início a uma viagem no tempo para desvendar o passado de nossos personagens e entender como eles chegaram até aqui.

Nas próximas páginas vocês vão ler um breve resumo dos acontecimentos de *"A Origem"*, o livro que antecede a segunda trilogia da saga M.A.D.E.

Esperamos que vocês gostem do que está por vir.

Até breve!

Catia e Johnatan

Johnatan Fallen

Seu verdadeiro nome é um segredo, conhecido apenas por seus irmãos celestes. Membro da 1ª Ordem, grupo formado pelos primeiros anjos criados por Deus e dotados de grande poder, superados apenas pelos Arcanjos.

Como guerreiro implacável, sua principal missão era fazer cumprir a justiça divina sobre os que se rebelavam contra a hierarquia celeste. Foi responsável por ataques tão avassaladores, que ficou conhecido nos sete céus como *A Mão da Vingança de Deus*.

General de um regimento de anjos guerreiros, acostumado ao calor das batalhas, Johnatan sempre manteve uma conduta reta e irrepreensível. Mas teve seu prestígio abalado, ao se deixar envolver nos planos da bela Claire.

Induzido por ela, o então General excedeu-se no cumprimento de suas missões, sem saber que, na verdade, tudo fazia parte de um complô há muito tramado para corrompê-lo. O objetivo: fazê-lo se unir a Azazel, anjo banido por Rafael após desafiar os Arcanjos Miguel e Gabriel, e com isso, dar início a uma trama que culminaria com a concretização de uma antiga profecia.

Após travar uma luta com o próprio Gabriel, Johnatan foi derrotado e humilhado diante de sua legião. Expulso do céu, foi exilado na terra. Mas, em consideração a seus méritos, sua expulsão não foi aleatória.

Por intervenção de Rafael, foi lançado em um local específico, para o qual uma importante missão estava planejada.

A jovem cidade de Nova Orleans, que em 1722 tornou-se capital da Luisiana, em pouco tempo ficou conhecida como a cidade dos amaldiçoados, devido a forte presença de cultura vodu, além de inúmeras famílias de vampiros que escolheram a região para se instalar, motivadas pela mistura do profano com a religiosidade.

Já naquela época Nova Orleans era um antro de devassidão, com casas de jogos e sexo pago, competindo com templos e igrejas.

Foi assim que em uma noite do ano de 1788, uma estranha luz, descrita pelos moradores como um poderoso raio, ofuscou o céu da cidade. Johnatan Fallen foi atraído em direção a um elemento físico gigantesco para os padrões da época e seu impacto causou um barulho ensurdecedor que assustou a todos na região.

Naquela mesma noite, teve início o que seria o maior incêndio já registrado do Estado da Luisiana e assim surgia a lenda do *Castelo do Anjo*.

Revoltado com o exílio, Johnatan renegou a missão que lhe foi confiada como condição para sua redenção. Entregou-se aos prazeres terrenos, corrompendo-se com mulheres, jogatina, bebedeiras e brigas. Mas seu estilo de vida, mesclado ao mistério de sua origem, começaram a causar problemas, comprometendo sua segurança.

Após sofrer várias tentativas de assassinato e ver sua verdadeira identidade ameaçada de exposição, Johnatan Fallen deixou a cidade e vagou pela terra, até fixar residência no Brasil. Porém, sua opção pela cidade de São Paulo não se deu ao acaso.

O anjo renegado tinha um plano para alcançar a redenção, sem que necessitasse voltar à Nova Orleans e cumprir a missão que lhe foi atribuída.

Para isso, precisava encontrar a vampira de quem tanto tinha ouvido falar quando ainda vivia na Europa.

Os poderes da jovem, combinados com a humanidade que ela teimosamente se esforçava em preservar, eram tudo de que ele precisa para executar seu plano. O que ele não esperava era se apaixonar por Carlie Marie.

Donovan Hunter

Em 1536, a capital do então Reino da Hungria foi transferida para Pressburg, atual região da Bratislava. Mas as guerras e as frequentes revoltas causaram muita destruição, até que durante a revolução de 1848 os eslovacos apoiaram o imperador austríaco, com a intenção de desligar-se da Hungria.

É nesse cenário que a história de Donovan se desenrola.

O ano é 1736. Nos arredores da cidade de Bystrica, próximo ao rio Váh, a noroeste do então Reino da Hungria, atual Eslováquia, a jovem e solitária Alena, é sequestrada pelo poderoso Yuri Zarco.

Líder da organização Among Us e irmão de Noah Zarco, Yuri torna-se membro do Conselho Regente dos Clãs Vampíricos, organização constituída pela então monarquia da raça, que determina as leis e o modus atuante das centenas de clãs espalhados pelo mundo.

Obcecado pela ideia de mesclar seu sangue com um ser de origem angélica e criar uma nova raça de vampiros — ainda mais poderosos e letais — Yuri descobriu que a jovem órfã era na verdade um anjo disfarçado e assim, iniciou seu ardiloso plano, no qual ela era a peça chave.

Alena foi mantida cativa em um antigo castelo, que servia de residência a Yuri, até que finalmente deu à luz um bebê do sexo masculino.

Para evitar qualquer possível interferência na criação do menino e no futuro que ele havia planejado para a criança, imediatamente após o nascimento do bebê, o próprio Yuri se encarregou de assassinar Alena, deixando o caminho livre para que pudesse moldar aquele que seria seu futuro herdeiro.

O pequeno Donovan Zarco cresceu sob a proteção de seu pai e mentor, aprendendo a controlar seus dons especiais e sua extraordinária força, adquirida graças à inusitada mescla do sangue vampírico com a essência angélica, que Yuri tratou prontamente de abafar.

Com a orientação do pai, Donovan se tornou um mestre na arte do domínio, assim como um valioso aliado nas guerras e disputas de poder que a organização travava contra seus inimigos.

Ao alcançar a idade física de vinte e cinco anos, tanto seu desenvolvimento quanto sua aparência humana, se completaram, tornando-o um dos vampiros mais temidos da Europa Ocidental.

A partir desse ponto, sua vida foi uma sucessão de noitadas com belas mulheres — que nem sempre acordavam com vida na manhã seguinte —, envolvimento em negócios de origem suspeita, mistérios, violência, assassinatos e muitos banhos de sangue.

Até que em 1928, Yuri o enviou para a Dinamarca, onde Donovan deveria passar à próxima década à frente dos negócios que a família mantinha na região, cujo controle estava sendo ameaçado por um clã rival.

Foi lá, que alguns anos depois, Donovan conheceu a bela Carlie Marie.

Filha de uma família tradicional francesa, cujo pai trabalhava para a embaixada, a jovem despertou os instintos e a paixão do vampiro.

Conhecido por seu poder de sedução, muitas vezes fatal, o então sombrio e misterioso cavalheiro, sabia que nunca seria aceito ao lado daquela que estava predestinada a se tornar sua esposa. Então, arquitetou um plano cruel e mirabolante, que terminaria por arruinar sua relação com Yuri e afastá-lo do comando da Among Us.

Nos meses seguintes, Donovan estudou cuidadosamente a família de Carlie, planejando o rapto da jovem, a quem ele pretendia proteger e conquistar ao longo do próximo século, até que ela estivesse pronta para assumir o papel que ele havia destinado a ela. Mas, um infeliz imprevisto durante a ação colocaria em risco o sucesso de seu plano. Carlie havia se tornado uma vítima em potencial para o poderoso Yuri, que deixava cada vez mais claro sua insatisfação com Donovan, assim como o desejo de por um fim na breve existência da jovem vampira. Para protegê-la, Donovan rompe os laços com seu pai, assumindo o sobrenome Hunter, e foge da Dinamarca, ajudado em segredo por Noah e Bran.

Carlie Marie

O ano é 1914. A prosperidade econômica da França, assim como seu desenvolvimento social, é interrompida pelo início da Primeira Guerra Mundial. A situação financeira só voltaria à estabilidade em 1928, porém seria novamente abalada pela crise econômica mundial em 1929, lançando o povo em um quadro de instabilidade que prosseguiu até 1933.

Apesar disso, foi durante esse período que os franceses com melhores condições financeiras, descobriam muitos dos prazeres da vida, desfrutando de privilégios inacessíveis ao restante da população.

Mulheres de corpos esbeltos seguiam a moda ditada pelas atrizes hollywoodianas, como Greta Garbo e Marlene Dietrich, fazendo com que o estilo sofisticado imperasse nos salões da sociedade parisiense.

Foi nesse cenário que Carlie Marie nasceu e cresceu.

Filha de um importante funcionário do governo francês, que em 1933 foi designado para a Dinamarca como membro do corpo diplomático, Carlie tinha então dezoito anos e não podia imaginar o que o destino lhe reservava.

Esse foi também o ano em que Hitler iniciou sua campanha para militarizar a Alemanha, desafiando as imposições ditadas pela França e pela Inglaterra no Tratado de Versalhes. Mas esse era um problema que a Jovem, até então, desconhecia.

Durante os dois anos que se seguiram, a família se estabeleceu e ganhou lugar na sociedade Dinamarquesa.

Alegre e dona de uma beleza impressionante, Carlie era o centro das atenções nos eventos sociais que frequentava. Porém, estava sempre acompanhada pelo pai, homem autoritário e conservador, ou pela mãe, mulher de personalidade forte e valores tradicionalistas.

A jovem não sabia, mas sua beleza estava prestes a atrair à atenção de um poderoso membro do submundo europeu. Donovan Zarco havia tomado sua decisão e naquela fatídica noite de 1935, quando o carro de sua família foi atacado, todos em seu interior foram mortos e ela, condenada a viver para sempre na condição de vampira.

Após ter as lembranças da morte dos pais apagadas de sua mente, Carlie aceita a ajuda de Donovan para se adaptar a sua nova condição imortal e passa a ser sua hóspede em uma isolada residência nos arredores da cidade.

Donovan ensina tudo que ela precisa saber para manter-se segura. Como se alimentar, controlar a sede, desenvolver seus poderes e o mais importante: ele consegue que Carlie receba a herança deixada por seus pais, através dos serviços de uma organização recém-criada, conhecida como *Casa Paraíso*.

Mas, contrariando as pretensões do vampiro, Carlie desenvolve um afeto fraterno por seu mentor e passa a vê-lo como uma espécie de amigo, um substituto para o lugar deixado por seu pai.

Em 1938, a Alemanha nazista anexa a Áustria a seus domínios, dando início à segunda guerra mundial e Donovan vê seus negócios ameaçados na Dinamarca pelo avanço de Hitler.

Simultaneamente, Yuri demonstra claramente sua insatisfação com o comportamento do filho após a conversão de Carlie, ameaçando a segurança da recém-criada.

Os dois decidem então partir para a Suíça, onde iniciam um longo período de constantes mudanças, vivendo em diversos países por períodos curtos, até que após sete décadas, estabelecem residência fixa no Brasil, onde Carlie conhecerá Johnatan Fallen, o anjo caído que mudará o rumo de sua vida.

Mais Além da Escuridão

Entre Nós - livro 1

Revelações - livro 2

Insurgência - livro 3

Entre Nós - Pelos olhos de Donovan (Spin off)

VISITE AS PÁGINAS OFICIAIS

www.lereditorial.com
www.facebook.com/lereditorial
www.maisalemdaescuridao.blogspot.com.br
www.facebook.com/maisalemdaescuridao

PRÓXIMO LANÇAMENTO

Mais Além da Escuridão 4
A Origem

Impressão e acabamento
psi7 | βook7